Joep en de blauwe tijger

Els Rooijers
met tekeningen van Els Vermeltfoort

Zwijsen

Bolleboos extra

LEESNIVEAU

		ME	ME	ME	ME	ME		
AVI	S	3	4	5	6	7	P	
CLIB	S	3	4	5	6	7	8	P

fantasie

Toegekend door Cito i.s.m. KPC Groep

De Nederlandse Kinderjury 2013

Het gemiddelde niveau van dit boek is E6.
Het bevat ook fragmenten op AVI M7, E7 en Plus.

1e druk 2012
ISBN 978.90.487.1024.9
NUR 282

Tekst: Els Rooijers
Illustraties: Els Vermeltfoort

Vormgeving: Rob Galema

Voor België:
Uitgeverij Zwijsen.be, Antwerpen
D/2012/1919/63

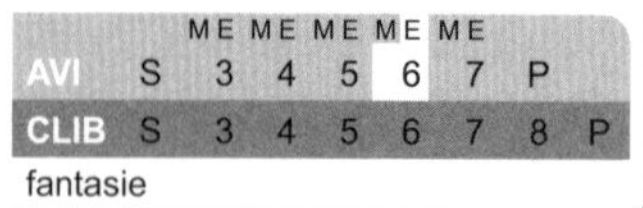

Inhoud

1. Spierwitte flapschoenen

'Joep, wil je alsjeblieft ophouden met dansen, ik heb het al honderdduizend keer gevraagd!'
Beteuterd staat Joep stil en met schuldbewuste ogen kijkt hij naar zijn moeder. Nijdig smijt ze haar nieuwste tijdschrift op de salontafel.
'Sorry, mama.'
'Ik kan geen letter lezen als jij als een zwaan door de kamer vliegt of staat te stuiteren als een gazelle. Ga liever voetballen, net als andere jongens, of karate, dat is pas stoer.'
Ik dans liever, wil Joep antwoorden, maar hij zwijgt als hij mama's gefronste gezicht ziet.
'Trek je voetbalschoenen aan,' zegt ze afgemeten.
'Geen idee waar die dingen zijn,' liegt Joep.
'Natuurlijk op dezelfde plek als altijd.' Met tegenzin komt moeder overeind.
'Waar zijn die krengen nou?' roept ze geknield voor de gangkast. 'Jouw voetbalschoenen zijn nergens te vinden.'
Geen wonder, denkt Joep, aan het einde van het voetbalseizoen heb ik ze in de vuilnisbak gegooid.
Kwaad werpt moeder kaplaarzen, deftige damespumps, paps tennisschoenen en pantoffels de gang in.
Joep staart naar de hanglamp aan het plafond en ziet een spinnetje balanceren op een draad. Net

 ......

koorddansen wat zo'n beestje doet, denkt hij. Hij begint zelf ook alweer bijna te bewegen.
'Ik zoek niet langer,' zegt moeder, 'trek papa's tennisschoenen maar aan. Met extra sokken en de veters goed strakgetrokken moet het lukken.'
Vijftien minuten later staat Joep buiten en door het serreraam heen ziet hij zijn moeder met opgetrokken benen op het bankstel zitten. Met een tijdschrift op schoot, haar vingers om een dampend theeglas gevouwen en binnen handbereik een schaal met chocolaatjes.
'Goed je best doen en scoren!' galmt haar stem na in zijn oren.
Pff, scoren op tennisschoenen ... Hij lijkt wel een circusclown met die spierwitte flapschoenen onder zijn voetbalbroek. Een grappig muziekje klinkt in zijn hoofd en zijn voeten beginnen in de maat te bewegen.
Niet dansen! waarschuwt Joep zichzelf en hij verschuilt zich achter het schuurtje, uit het gezichtsveld van zijn moeder. Hij wil haar niet ongelukkig maken, echt niet, maar wat kan hij eraan doen dat hij van dansen houdt?

2. Dokter Bruinenberg

'Joep, trek schoon ondergoed en schone sokken aan, we gaan zo meteen naar dokter Bruinenberg.'
'Naar de huisarts?' vraagt Joep verbaasd. 'Waarom? Ik voel me kiplekker.'
'Misschien heb je toch iets ernstigs onder de leden,' antwoordt moeder met een bezorgd gezicht, 'want volgens tante Frederieke bestaat er een ziekte waardoor mensen voortdurend moeten dansen. Dat vertelde Marianne, haar vriendin, en daar de overbuurvrouw van, die heeft een achternicht in Duitsland en die mevrouw leidt aan die dansziekte.'
Verdrietig kijkt moeder hem aan.
'Arme jongen, waarschijnlijk heb jij die dwangmatige dansaandoening ook. Je vertoont dezelfde ziekteverschijnselen. Ik schaam me dat ik zo streng ben geweest.' Haar ooghoeken vullen zich met tranen.
'Sorry, lieverd, sorry, ik realiseerde me niet dat je misschien ongeneeslijk ziek bent.'
Joeps mond zakt open en hij gaapt zijn moeder verbouwereerd aan. Hij, ongeneeslijk ziek?
'Ik ga toch niet dood, mama?'
'O, lieve knul,' snikt moeder en ze omarmt Joep stevig, 'laten we hopen van niet. Dokter Bruinenberg kan vast wel een pilletje voorschrijven. Vlug, we vertrekken, ik zorg ervoor dat we met voorrang geholpen worden.'

Een uur later stampt moeder op haar hakken de huisartsenpraktijk weer uit, aan haar hand sleurt ze Joep hardhandig mee.
'Dit is de allerlaatste keer dat ik bij dokter Bruinenberg geweest ben!' briest ze. '"Niks aan de hand," zegt dat mens, dat is toch geen diagnose! En die onbeschaamdheid om mij te vertellen dat ik van mijn kind moet genieten zoals het is! Voor zo'n waardeloos advies heeft dat mens jarenlang medicijnen gestudeerd. Jarenlang! Die troela zou zelf zo'n huppelkind in huis moeten hebben. Ik verzeker je, dan piept ze wel anders.'
In hoog tempo doorkruisen ze het winkelcentrum, langs kledingzaken en parfumeriewinkels, zonder dat moeder een blik in een etalage werpt. Al mopperend en foeterend werpt ze afstandelijke blikken op Joep, terwijl ze onder het viaduct door lopen.
'Jij bent toch ook van mening dat je niet helemaal honderd procent bent?' vraagt ze als ze onder een stenen toegangsboog door in een wijk komen waar Joep nooit eerder is geweest. 'Noem één ander kind dat net zo veel danst als jij.'
Joep haalt terneergeslagen zijn schouders op. Wat bezielt zijn moeder?
'Maar mama, het is toch fijn dat ik niet ziek ben?' oppert hij voorzichtig.
'Niet ziek? Nou, je bent niet lekker ook en daar gaan we nu een behandeling voor regelen. Ik las in een damesblad over een Chinese arts die allerlei aandoeningen kan genezen, ook de meest eigenaardige, en hopelijk ook die vreemde aandoening van

jou. Zijn praktijk is hier in de Chinese wijk gehuisvest.'
Ze betreden een smal en donker steegje. Onbekende geuren van exotische kruiden dringen Joeps neus binnen en vanuit een pand wat verderop klinkt een Tibetaanse gong.
Overal ontdekt Joep kleurige lantaarns en roestige uithangborden en vanuit donkere nissen lijken achterdochtige ogen in zijn richting te loeren.
Bij een glanzend gelakte deur, waar een gouden draak met felrode ogen op afgebeeld staat, drukt zijn moeder op een bel.
Joeps maag trekt in een angstige reflex samen.
'Mama, als ik beloof dat ik alleen op mijn kamer dans,' zegt hij zenuwachtig, 'dan bezorg ik jou toch geen overlast? Dan kunnen we nu toch omdraaien en teruggaan naar huis?'

3. Chinese begroeting

Langzaam zwaait de zwarte deur open en een Chinese mevrouw in een enkellang zijden gewaad legt haar handpalmen tegen elkaar en buigt.
'Goedendag, ik kom voor dokter Wang, met hem hier.' Moeder schudt met haar arm waar Joep zich aan vastklampt.
Met kleine schuifelpasjes draait de Chinese dame zich naar Joep toe en ze buigt eerbiedig voor hem.
'Hallo,' groet Joep beleefd.
'Er is haast bij,' gaat moeder verder. 'Het heeft allemaal al veel te lang geduurd. Kunnen we hier meteen terecht?'
De dame knikt en schuifelt met kleine pasjes voor Joep en moeder uit een brede gang in.
Verwonderd kijkt Joep naar de goudkleurige kussens die rond lage tafeltjes op de grond liggen. Naar de muren waarop vreemde tekens geschilderd staan waar hij niks van begrijpt, maar die overduidelijk niet veel goeds beloven.
Aan het einde van de lange gang klopt de Chinese dame op een deur, ze drukt de deurklink omlaag, maakt drie buigingen en begint de afgrijselijkste klanken uit te stoten die Joep ooit gehoord heeft.
'Hihihi,' lacht ze met korte ademstootjes als de dokter antwoord geeft, om vervolgens al buigend opzij te stappen voor Joep en zijn moeder.

Moeder kijkt vanuit de deuropening neer op een klein Chinees doktertje en op haar gezicht valt de gedachte te lezen: is dit alles?
Het doktertje legt zijn handpalmen voor zijn borst en buigt zo diep dat er bijna niets van hem overblijft.
Moeder blaast ongeduldig door haar neus en wacht geïrriteerd totdat dokter Wang weer overeind staat.
'Het gaat om hem,' vertelt ze haastig als de dokter eindelijk zover is, en ze schuift Joep naar voren. 'Hij wil alleen maar dansen. Daar kunnen zijn vader en ik toch niet mee voor de dag komen? We willen een stoere zoon, net als iedereen.'
De dokter maakt aanstalten om weer te buigen, maar moeder houdt hem tegen.
'Die ochtendgymnastiek doet u maar liever in uw eigen tijd. Wilt u nu mijn zoon onderzoeken?'
Dokter Wang buigt zijn hoofd en nodigt Joep uit om plaats te nemen. Hij legt zijn vingertoppen op Joeps pols en blijft met gesloten ogen wel vier minuten lang roerloos staan.
Bij Joep zakt de moed steeds verder in zijn schoenen. Waar heeft zijn moeder hem toch naartoe gebracht?
Angstig kijkt hij in het gezicht van de dokter die nu eens zijn lippen tuit, dan weer een wenkbrauw optrekt of zijn hangsnor laat trillen.
'Zou u niet ook aan zijn buik voelen of in zijn keel kijken?' vraagt moeder die plaatsgenomen heeft op een laag krukje en van spanning op haar bovenbeen trommelt.

知っているので、常に医師に聞く

Langzaam opent dokter Wang zijn ogen, en zijn pupillen boren zich diep in die van Joep.
'Is moeilijk,' zegt hij, 'elpen uw zoon is eel moeilijk.'
'O, ik wist het, ik wist het,' jammert moeder. 'Dokter, wat kunnen we eraan doen? Zo kan die jongen toch niet door het leven gaan, zijn vader en ik schamen ons wezenloos.'
'Maar één ding kan elpen, jij moet naar eele bijzonder skool, vandaag nog. Ik geef adres.'

4. Kikantaro

'Ik ben zo benieuwd naar die Japanse school, met die spannende, onmogelijke naam die geen mens kan uitspreken.' Moeder haalt haar rechterhand van het stuur en legt hem op Joeps onderarm.
'Fijn hè, jongen, dat ze jou van dat eigenaardige dansen af kunnen helpen. Wat zul je opknappen! Wel lastig dat die school helemaal in een buitenwijk is. Dat wordt een gedoe met ophalen en wegbrengen.'
Joep staart dof door de voorruit naar buiten en luistert maar half naar zijn babbelende moeder die de auto door het drukke verkeer manoeuvreert.
Ik wil helemaal niet naar een andere school, denkt hij. Ik heb het op De Horizon hartstikke naar mijn zin.
'Op mijn basisschool vindt niemand het vreemd dat ik graag dans,' zegt hij opstandig. 'Zelfs juf Smettelaar niet.'
'Juist!' antwoordt moeder triomfantelijk. 'Daar zit precies het probleem; alles moet maar kunnen tegenwoordig. Het kind moet zich maximaal kunnen ontplooien, maar met ouders wordt geen rekening gehouden. Gelukkig bestaan er nog mensen zoals die fantastische dokter Wang. Alleen door jouw polsslag te voelen, wist hij precies wat jou mankeert. Is het niet verbazingwekkend, Joep? Daar

kunnen alle westerse artsen met hun apparaten, medicijnen en griepspuiten nog wat van leren. Wat weten die nou helemaal? Alleen halfzachte kletspraat komt eruit: "genieten van uw zoon zoals hij is," puh!'

Op een afgelegen industrieterrein mindert moeder vaart. Ze probeert de straatnaambordjes te lezen. 'Volgens het navigatiesysteem moet het hier ergens zijn. Zie jij een schoolgebouw?'
Joep kijkt naar de verveloze fabriekshallen met ingegooide ruiten, omheind door roestige hekken. De omliggende parkeerterreinen worden overwoekerd door onkruid.
'Als hier ooit een school heeft gestaan, is-ie nu gesloten,' zegt hij met een sprankje hoop in zijn stem. 'Dokter Wang heeft het verkeerd, mam, die Japanse school bestaat niet meer. Als we meteen omdraaien, ben ik nog op tijd voor de gymnastiekles.'
'Zeker om danspasjes te leren op muziek,' zegt moeder schamper, en met haar neus tegen de voorruit gedrukt tuurt ze de omgeving af. Dan trapt ze abrupt op het rempedaal en ze wijst: 'Daar, die deur naast die gedraaide zuilen, dat zou het kunnen zijn.' Ze schakelt de motor uit, neemt Joep bij de hand en stapt kordaat op het vervallen industriepand af. Haar vuist timmert op de afbladderende verflaag van een rode deur. Iedere klop die ze doet, voelt bij Joep als een afstraffing, bedoeld voor hem.
Is dansen zo verkeerd? denkt hij verdrietig.
Aan de binnenkant van het houtwerk worden zes

grendels verschoven en Joep beseft: dit is geen basisschool, maar een gevangenis. Als de deur openzwaait, kijkt hij op naar de grootste vleeshomp die hij ooit gezien heeft. Hij verschuilt zich angstig achter zijn moeders broekspijpen, want binnen handbereik staat een moddervette reus. Zijn vetrollen en naakte huidplooien worden alleen omhuld door een enorme luier van gebleekt linnen.
Help! Joep rukt aan zijn moeders arm om te ontsnappen. Maar vastbesloten omsluiten haar vingers de zijne en dapper glimlacht ze naar de gigantische Japanner die zijn sluike haar samengebonden heeft in een strak knotje boven op zijn hoofd.
'U lijkt me een sumoworstelaar,' zegt moeder wantrouwend, 'maar eigenlijk zoek ik een Japanse school.'
De Japanner wrijft met een trotse glimlach over zijn spekbuik en steekt haar uitnodigend zijn hand toe. 'Kikantaro is de naam, directeur van deze wereldberoemde worstelschool.'
Dit wil ik niet, gonst het zo luid in Joeps oren dat hij geen woord volgt van het gesprek dat tussen de volwassenen ontstaat.
'Dus u kunt mij niet vertellen hoelang Joep op deze worstelschool moet blijven?' vraagt moeder terwijl ze Joep bij zijn schouders beetpakt en hem van zich af haalt. 'En hij mag tussendoor niet één keer naar huis, ook niet in het weekend?'
Joep kijkt met angstogen van zijn moeder naar de worstelaar wiens onderkinnen meedeinen als hij zijn hoofd schudt.

'Hmm,' doet moeder, 'dat is buitengewoon handig, dan hoeven we niet almaar te rijden.'
'Nee, mama, nee, ik wil niet!'
Moeder pakt zijn gezicht beet en met bliksemende ogen kijkt ze hem indringend aan.
'Joep, als jij volgens deze meneer stoer en sterk genoeg bent en gestopt bent met dansen, ben je weer van harte welkom.' Ze draait hem aan zijn schouders om en met haar vingertoppen in zijn rug wordt Joep in de armen van de worstelaar geduwd.

5. Olifantendans

Moederziel alleen staat Joep in een kale hal tegenover worstelaar Kikantaro. Nooit eerder heeft hij zich zo eenzaam en verlaten gevoeld.
Kikantaro zakt diep door zijn knieën totdat zijn gezicht zich recht tegenover dat van Joep bevindt en op vriendelijke toon zegt hij: 'Wat ben je al groot.'
Joep knippert met zijn ogen, hij groot?
'En je hebt gespierde armen,' praat de worstelaar tevreden verder.
Joep kijkt naar zijn dunne armpjes die door zijn vader magere kippenpoten worden genoemd.
Neem me lekker in de maling, denkt hij neerslachtig, en onzeker zoeken zijn ogen die van Kikantaro. Tussen de zwaar overhangende oogleden en de door vet opgestuwde wangen, vindt hij twee bruine streepjes. Hij ziet net genoeg oog om iets minder bang te worden, want de bruine irissen glanzen zacht.
'Ik wil naar huis,' zegt Joep.
'Begrijpelijk,' antwoordt Kikantaro, 'op jouw leeftijd had ik dat ook. Mijn moeder heeft me piepjong naar een worstelschool gebracht en kijk wat voor gigant ik geworden ben.' De worstelaar pakt zijn buikplooien vast en straalt alsof hij de wereldcup in handen houdt.
'Ik wil niet moddervet worden, ik wil dansen.'

Kikantaro fronst zijn voorhoofd en kijkt teleurgesteld. Maar gelukkig klaart zijn gezicht snel op. 'Worstelen ís een soort dansen, maar dan voor olifanten.' Hij glimlacht tevreden om zijn eigen opmerking en houdt uitnodigend zijn enorme hand op. 'Kom mee naar de sportzaal, want jouw moeder verwacht dat jij binnenkort een supersterke, stoere knul bent, dus moeten we urenlang trainen. Al volgende maand til jij, hup, je vader op een boomtak, alsof hij een vogeltje is. Hihi, je vader een fluitend vogeltje, grappig toch? Dan is jouw moeder geweldig trots op jou en dat wil jij toch bereiken?'
Joeps gedachten flitsen naar zijn moeder die met de auto steeds verder bij hem vandaan rijdt, naar haar prachtige krullen en slanke vingers en hij knikt, ja, hij wil ongelooflijk graag dat mama trots op hem is. Alleen daarom legt hij zijn hand voorzichtig in de klauw van de worstelaar en beducht voor pijn zet Joep zich schrap.
Verrassend teder sluit Kikantaro zijn vingers, en het zachte vlees van zijn handpalm omhult Joeps hand als een cocon.
'Oef,' zucht hij opgelucht.
De worstelaar werpt zijn hoofd achterover en lacht uitbundig.
'Was jij bang voor mijn vuist, Joep?' vraagt hij als ze samen dieper het pand in lopen. 'Wat heeft die Chinese dokter jou wijsgemaakt? Onthoud goed, jongen, worstelaars zijn beresterk, maar hun werkelijke kracht bevindt zich aan de binnenkant, hier!' Zijn vuist strijkt over zijn hart.

'Net als bij dansen!' zegt Joep opgetogen. 'Mijn hart wordt gevuld door ontembaar verlangen en vandaar kruipt het naar mijn kuiten, ellebogen, knieën, overal!'
Kikantaro vertraagt zijn pas en zijn ogen glijden onderzoekend over Joeps gezicht waarop vurige blosjes te zien zijn in het kille kunstlicht en hij vraagt vol ontzag: 'Is jouw danspassie zo allesoverheersend?'
'Ja,' antwoordt Joep, 'dansen zit in mijn hoofd, altijd en overal. Zelfs nu ik bang en boos en verdrietig ben, wil ik dansen en ronddraaien, pirouette na pirouette.'
Kikantaro kijkt hem vol genegenheid aan en voorzichtig streelt hij over Joeps hoofd.
'Jongen,' zegt hij ernstig, 'jij wordt een fantastische sumoworstelaar.'

6. Worstelmaaltijd

Aan de zijkant van een enorme sporthal zitten Joep en een dik meisje aan een klaptafeltje en ze zwijgen ongemakkelijk. Het meisje staart chagrijnig voor zich uit en toont geen enkele belangstelling voor Joep en daarom richt hij zijn aandacht op de sportruimte. Middenin liggen vijf ronde matten op verhogingen. Eromheen is zo veel plek dat Joep normaal gesproken meteen zou gaan dansen. Maar nu verroert hij zich niet, want het meisje staart plotseling onbewogen zijn richting uit.
Als maar niet alle kinderen op deze worstelschool zo zijn, denkt hij zenuwachtig wriemelend aan het geblokte tafelkleed. Zijn blik glijdt verder door de uitgestrekte sportzaal. Langs de muren staan ingewikkelde fitnessapparaten met grepen, voetsteunen, katrollen en gewichten.

'Suzisuki!' klinkt de stem van Kikantaro vanuit een openstaande deur. 'Gong!'
Het meisje pakt een megagrote wattenstaaf beet, geschikt om een olifantenoor mee te reinigen. Ze loopt ermee naar een koperen schijf die groter is dan zijzelf en aan een standaard hangt.
DOINK! Suzisuki slaat met zo'n kracht tegen de koperen gong dat Joeps klapstoel ervan trilt. Het zware geluid verplaatst zich naar alle uithoeken van

het gebouw en al gauw stroomt een groep worstelaars de sportzaal binnen.
Allemachtig! denkt Joep als de vlezige kerels in hun witte luiers aan de tafeltjes rondom hem plaatsnemen. Hun dijen puilen over de stoelzittingen, de tafels vastgeklemd tussen vier worstelbuiken. Een paar worstelaars verdwijnen naar de keuken en komen samen met Kikantaro weer tevoorschijn. Ze dragen grote schalen vol spaghetti en dampende tomatensaus.
'Joep, heb je al kennisgemaakt met Suzisuki Sukujaki?' vraagt Kikantaro, terwijl hij drie borden vol schept. 'Zij is jeugdworstelkampioen en vandaag mag jij met haar trainen. Eet flink, want je zult de energie nodig hebben.'
Pff, trainen met zo'n dikke worstelgriet, dat kan niks voorstellen, denkt Joep en ter geruststelling glimlacht hij naar haar. Maar Suzisuki heeft alleen aandacht voor de spaghetti op haar bord waar ze gretig op aanvalt.
'Waar zijn de andere kinderen?' vraagt Joep en hij prikt wat met zijn vork in de torenhoge spaghettiberg. Hoe krijgt hij deze hoeveelheid ooit naar binnen?
'Momenteel ben jij mijn enige nieuwe leerling, dus volop tijd en aandacht om van jou een goeie worstelaar te maken. Over twee maanden win jij je eerste wedstrijd, ga nu eten.'
'Moet ik zolang blijven?' roept Joep uit. Moedeloos zuchtend kijkt hij toe hoe Kikantaro en Suzisuki grote hoeveelheden spaghetti om hun vorken

相撲

draaien en de slierten druipend van de tomatensaus naar binnen slurpen.
Kikantaro tikt waarschuwend met zijn mespunt op Joeps bord en met tegenzin neemt Joep een paar happen. Normaal gesproken is spaghetti zijn lievelingseten, maar nu smaakt het niet, gewoon omdat hij geen trek heeft en naar huis wil.
Kikantaro leunt achterover, veegt zijn lippen met de rug van zijn hand schoon en laat een keiharde boer.
Krijg nou wat, denkt Joep verbouwereerd. Mama moest eens weten dat Kikantaro zo'n ongemanierde boerenpummel is. Ze zou een rolberoerte krijgen en me meteen ophalen.
'Dooreten, Joep,' zegt Kikantaro streng. Met de uitgeschraapte pannen loopt hij naar de keuken.
Joep steekt braaf zijn vork in zijn mond. Vanuit zijn ooghoek ziet hij Suzisuki met een broodkorst de laatste saus van haar bord vegen en vol smaak verorberen. Nu leunt ook zij achterover en met haar handen op haar kogelronde buik rolt er, burp, een knalharde boer uit haar mond.
Joep kijkt haar met opengesperde ogen aan en giechelt. Overal om hem heen ketsen vette oprispingen door de zaal.
Jakkes, wat een stelletje viespeuken! Hij schiet in de lach en denkt: als mama wil dat ik zo'n viezerik van een worstelaar word, vooruit dan maar. Hij schuift zijn bord weg en perst met moeite een piepklein boertje uit zijn keel.
Suzisuki kijkt hem afkeurend aan en zegt: 'Doe niet zo onbeschoft. Eet eerst je bord leeg! Boeren is een

compliment aan de kok, je bord niet leegeten een ernstige belediging.’
Geschrokken door Suzisuki’s berisping pakt Joep zijn vork weer op.
Kikantaro beledigen, nee, dat wil hij niet, maar alles opeten … dat wordt zijn ondergang!

7. Loodzware lasten

Eindelijk is ook Joep klaar met eten en een misselijke en langgerekte boer rolt uit zijn mond. Suzisuki knikt tevreden en lijkt sowieso beter gestemd nu haar maag gevuld is.
'Dit was het voorgerecht,' zegt ze met een verlangende blik naar de keuken. 'Straks krijgen we gebraden kippenbouten in romige champignonsaus, dat is goed voor dit.' Ze buigt haar arm en laat Joep een spierbal zien waar hij toch wel zenuwachtig van wordt. Zou hij echt zo makkelijk winnen van deze gespierde worstelmeid?
'Het duurt nog wel even voordat de hoofdmaaltijd klaar is,' zegt Suzisuki, 'zullen we ondertussen wat gaan trainen?'
'Mij best,' antwoordt Joep, bang voor wat komen gaat, maar opgelucht dat hij van tafel mag. Hij heeft lang genoeg stilgezeten en heeft zin om lekker te bewegen.
'We beginnen zeker met rondjes rennen?' Om te laten zien hoe topfit hij is, springt hij op en wil zijn hakken tegen elkaar slaan, maar door zijn overvolle maag komt hij nauwelijks van de grond.
'Ben jij mal,' antwoordt Suzisuki, 'van hardlopen word je broodmager en dat wil een worstelaar niet.' Ze waggelt voor Joep uit naar een hoek waar stangen en gewichten liggen uitgestald en ze pakt

een ijzeren staaf zo lang als een liniaal. Over ieder uiteinde schuift ze twee metalen schijven alsof ze kralen aan een ketting rijgt.
'Alsjeblieft, met dit gewicht in je rechterhand je rechterarm tien keer buigen.'
Is dat alles? denkt Joep gerustgesteld.
'En tussendoor mijn arm helemaal strekken?' vraagt hij nonchalant.
Peilend kijkt Suzisuki hem recht aan. Ze legt de stang in zijn hand en laat los.
Help! Joep zakt zowat door zijn benen en moet werkelijk alle zeilen bijzetten om niet te bezwijken onder het gewicht.
'Driemaal is toch wel genoeg?' puft hij, zijn armspieren tot het uiterste spannend om die loodzware last richting zijn schouder te bewegen.
'Tien keer is het minimum,' zegt Suzisuki met zo'n mierzoete glimlach dat Joep er de koude rillingen van krijgt.
Die meid, denkt hij al zwoegend, breekt straks bij het worstelen met plezier al mijn botten.
Met een paar lamme armen en niet in staat om nog maar iets op te tillen, vast te houden of weg te duwen, moet Joep toekijken hoe Suzisuki het ene gewicht nog zwaarder dan het andere boven haar hoofd omhoog stoot of met haar benen wegdrukt.
Op de ronde matten midden in de zaal ziet hij worstelaars als mannetjesbizons tegen elkaar aan beuken.
Dat moet ik straks met Suzisuki doen. Met maagkramp kijkt Joep naar het meisje dat met drie ijze-

ren kogels staat te jongleren. Wat een ramp, ze walst als een stoomlocomotief over me heen.
'Vangen!' roept Suzisuki als Kikantaro een braadslede afgeladen met kippenbouten de keuken uit draagt. Een kanonskogel vliegt op Joep af, terwijl Suzisuki zich al richting eettafel haast.
'Oef!' Hij kreunt als de kogel door zijn handen heen glipt en tegen zijn buik aan slaat. Door de klap op zijn ingewanden en de geur van gebraden kippenvlees draait Joeps maag zich om en zijn ogen zoeken de uitgang. Hoe komt hij hier weg?
'Kom lekker smikkelen, Joep,' zegt Kikantaro die met een groot servet op hem af komt. 'Daarna gaan we worstelen.'

…...

8. Hakkeyoi!

Onderuitgezakt op zijn stoel, met zijn handen wrijvend over zijn maag, kijkt Joep lodderig naar Kikantaro en Suzisuki op een verhoogde mat.
'De spelregels zijn eenvoudig, Joep,' legt Kikantaro uit. 'Alleen je voetzolen mogen de mat raken, verder niets. Raakt je schouder de mat, dan heb je verloren; raken je heupen de mat, dan heb je verloren. Begrijp je dat?'
Joep knikt, meer puf heeft hij niet.
'Duwt of gooit Suzisuki jou buiten de mat, dan heb je verloren.'
Joep kreunt klagelijk, o nee, gaat die meid me optillen en weggooien?
'En als ik Suzisuki buiten de mat werp?' vraagt hij dapper. Ook zonder haar aan te kijken, weet hij hoe gemeen haar glimlach nu is. In haar goudkleurige gympakje, met eroverheen net zo'n witte luier als hijzelf draagt, ziet ze er nog gevaarlijker uit.
'Dan heb jij gewonnen,' antwoordt Kikantaro, 'maar dan mag je niet "joepie" roepen en ook niet vrolijk kijken. Je gezicht moet uitgestreken zijn als van een mummie. Worstelaars tonen nooit emotie, ook niet als ze verliezen. Begrijp je dat?'
Weer knikt Joep, en zijn ogen glijden moedeloos naar zijn spillebenen die naakt uit de gebleekte lendendoek steken.

'Kom hier, Joep.' Kikantaro trekt Joep omhoog op de mat. 'Zit je *mawashi* goed?' Hij rukt aan de linnen gordel die hij eerder om Joeps heupen heeft gewikkeld. 'Als je *mawashi* losgaat, heb je verloren, dus die knoop aan de achterkant moet superstrak zitten.'
Nee hè, als dat gebeurt, sta ik in mijn nakie! schrikt Joep, en ik loop nu al compleet voor schut met dat achterlijke staartje boven op mijn hoofd.
'Jij staat hier, in het westen, en Suzisuki staat aan de overkant, daar is het oosten. Nu plaatsen jullie allebei je vuisten op de mat en roep ik: "hakkeyoi", dan begint de worstelwedstrijd. Je beukt als een steenbok tegen Suzisuki aan, grijpt haar stevig vast en probeert haar omver te werpen of van de mat te duwen. Begrijp je dat?'
Joep knikt, te misselijk om te praten.
'Ga klaarstaan.'
Joep plaatst zijn vuisten op de mat, zijn hoofd hangt naar beneden en hij vreest dat hij moet overgeven.
'Hakkeyoi!' schreeuwt Kikantaro.
Hakkeyoi, dan moet ik, bedenkt Joep, maar het volgende moment wordt hij al ondersteboven gewalst door Suzisuki die als een dolle stier tegen hem aan beukt en nu met haar volle gewicht boven op hem ploft.
'Aghh,' kreunt Joep. Zijn ribben kraken.
'Oost heeft gewonnen, opnieuw plaatsen innemen!' commandeert Kikantaro.
Joep kijkt naar Suzisuki die met een gladgestreken

e ......

gezicht haar vuisten op de mat plaatst, klaar om hem nog een keer onderuit te schoffelen.
Dit mag geen tweede keer gebeuren, want dan zijn mijn ribben aan gruzelementen. Naarstig zoekt Joep naar een oplossing, terwijl hij tijd rekt door dralend zijn vuisten op de worstelmat te plaatsen.
'Hakkeyoi!'
Nu! denkt Joep en razendsnel stapt hij opzij, precies op het moment dat Suzisuki als een bulldozer naar voren komt zetten.
Plaf! Languit slaat ze voorover op de mat, slechts enkele centimeters van Joeps voeten vandaan.
'Yes!' juicht Joep dolgelukkig.
'Geen emotie!' zegt Kikantaro streng. 'Dat is een ernstige overtreding. Oost heeft opnieuw gewonnen.'

9. Japanse rituelen

's Avonds, in een grote slaapzaal, ploft Joep bekaf neer op de rand van zijn bed. Met zijn laatste krachten heeft hij zijn tanden gepoetst en een groot nachthemd van Kikantaro over zijn *mawashi* aangetrokken.
Vanuit zijn ooghoeken gluurt hij naar de andere worstelaars die hun knotjes losmaken waardoor hun zwarte haar in dunne slierten over hun schouders valt. Ze knopen elkaars lendendoeken los en gehuld in badhanddoeken gaan ze naar de badruimte.
Joep laat zich zijdelings op zijn matras vallen en kreunt. Zijn lichaam voelt alsof er een peloton soldaten overheen is gemarcheerd. Telkens als hij niet snel genoeg wegsprong, had Suzisuki hem vastgegrepen waar ze maar kon. Eenmaal had ze zijn linkerenkel te pakken en slingerde ze hem rond als een helikopterpropeller. En toen ze losliet …
Joep huivert en knijpt zijn ogen stijf dicht. Als het twee maanden op deze manier doorgaat, ben ik zo geradbraakt dat ik nooit meer zal kunnen dansen en krijgt mama vanzelf haar zin.

'Joep, opstaan, jij moet ook badderen,' klinkt Kikantaro's stem. 'Dat is goed voor de ontspanning en doorbloeding van je spieren.'
Voordat Joep beseft wat er gebeurt, staat hij alweer

op zijn voeten, wordt zijn *mawashi* door Kikantaro losgemaakt en wikkelt de worstelaar hem in een badlaken. Samen lopen ze naar de badruimte van waaruit stoomwolken hen tegemoet drijven. Joep hoort water sissen en handen op blote lijven kletsen en vaag ziet hij de rood aangelopen en zwetende gezichten van de worstelaars boven het stomende water uitsteken.

Help! Die Japanner gaat me koken als een garnaal! Kikantaro zet hem op de rand van het stoombad en komt naast hem zitten.

'Eerst één teen, Joep, om te wennen, dan langzaamaan verder het water in zakken.'

Enkele minuten later dobbert Joep naast Kikantaro in het bad, omringd door drijvende bloemblaadjes en brandende geurkaarsen. Het water voelt bloedheet, maar toch lekker, en Joeps verkrampte spieren beginnen langzaam te ontspannen.

'Je hebt vandaag goed gestreden, jongen. Je moeder kan trots op je zijn.'

'Maar ik heb niet één keer gewonnen. Suzisuki is honderd keer sterker dan ik.'

'Over twee maanden is ze kansloos, maar eerst is het massagetijd.'

Met een handdoek om zijn heupen geslagen moet Joep op een massagebank klimmen. De krachtige handen van de masseur glijden over zijn tengere lijf en smeren zijn huid van boven tot onder in met kruidenolie.

De masseur wringt eerst Joeps nekspieren uit, vervolgens glijden zijn vingertoppen krachtig langs

spierbundeltjes aan weerszijden van Joeps wervelkolom. Joep voelt een elleboogpunt in zijn onderrug drukken en nu begint die Japanner met de zijkanten van zijn handen op Joeps bovenbenen te hakken alsof ze een biefstuk zijn die mals geslagen moet worden.
'Haha, dat kietelt!' giechelt Joep als de masseur aan een voetmassage begint.
Kikantaro komt aanlopen en schatert met Joep mee.
'Ha, die Joep, kun je daar ook niet tegen? Kom overeind, knul, het is bedtijd. Ik ga je een mooi Japans verhaal vertellen.'
'Waarover?' vraagt Joep slaperig als Kikantaro hem ingestopt heeft.
'Een eeuwenoud verhaal over …'
Verder hoort Joep helemaal niets meer. Hij is heel diep in slaap gevallen.

10. Een dieptepunt

'Joep, wij moeten ernstig praten,' zegt Kikantaro en hij rijdt zijn directeursstoel dichterbij. 'Je bent nu zeventien dagen op mijn worstelschool en in het begin ben je keurig een pond aangekomen. Maar waar zijn die vijfhonderd grammen nu? Jij bent weer dezelfde magere sprinkhaan als toen je hier arriveerde. Zo word je geen onoverwinnelijke worstelaar, dus je moet stoppen met iedere vrije minuut te dansen. En meer eten, Joep, eten, eten, eten!'
Joeps kin zinkt langzaam op zijn borst.
'Ik doe werkelijk mijn best, Kikantaro,' fluistert hij terneergeslagen, 'maar als ik propvol zit, word ik misselijk. Dat kan ik niet helpen.'
'En een tweede punt,' gaat Kikantaro verder. 'Als ik "hakkeyoi" roep, moet je vechten en niet opzij stappen. Suzisuki ligt meer op haar buik te spartelen dan dat ze kan worstelen. En die bokkensprongen die jij maakt en de razendsnelle pirouettes die jij draait, moeten ook afgelopen zijn. Dat is geen sumoworstelen! Over anderhalve maand heb je de eerste officiële worstelwedstrijd. Dan komen je ouders naar hun stoere zoon kijken en willen ze stralen van trots, Joep. Trots! Begrijp je dat?'
De gedachte aan zijn ouders, die hem vanaf de voorste rij verwachtingsvol bekijken, doet Joep nog verder ineenkrimpen.

Om Kikantaro een plezier te doen, knikt hij dapper.
'Goed zo, jongen, verorber vlug die overheerlijke chocoladepudding. Daarna doen we krachttraining en schoppen we tegen het stootkussen.'
Na een paar hapjes schuift Joep de chocoladepudding van zich af.
'Straks eet ik de rest,' belooft hij zonder enthousiasme en met hangende schouders sloft hij achter Kikantaro aan naar de krachtapparaten. Hij kiest het allerlichtste gewicht uit, wil zijn rechterarm krommen, maar krijgt het onmogelijk voor elkaar.
'Vooruit, Joep!' moedigt Kikantaro aan. 'Willen is kunnen, kracht zit in je hoofd!' Kikantaro tikt tegen zijn eigen schedel.
Nogmaals probeert Joep het gewicht omhoog te brengen, maar nu wil het geeneens van de plank loskomen. Een afschuwelijk riedeltje galmt door zijn hoofd: Joepie is een slapjanus, Joepie grote slapjanus.
Joep voelt zich gruwelijk mislukt en plompverloren zakt hij neer op de betonvloer. Hij verbergt zijn gezicht in zijn handen en begint zachtjes te huilen.
'Ik wil heus mijn uiterste best doen, maar het lukt gewoonweg niet,' snottert hij, 'want hier, vanbinnen, brandt een ander vuur. Ik wil niet worstelen, maar dansen, Kikantaro, dansen. Waarom begrijpen mijn ouders dat niet?'
'Joepie toch,' zucht de worstelaar vol medelijden, en hij knielt naast hem neer. 'Jouw ouders zouden zonder voorwaarden of bedenkingen heel veel van

je moeten houden, gewoon omdat je een fantastische jongen bent. Maar ze willen dat hun zoon een vechtersbaas is, omdat ze ervan overtuigd zijn dat jullie daar allemaal gelukkiger van worden. Hoe moet dat nou?'
Kikantaro gaat in kleermakerszit dicht naast Joep zitten, zijn ellebogen steunend op zijn knieën, zijn voorhoofd rustend in zijn handen, en hij zwijgt.
'Ik weet nog één oplossing,' zegt hij na een eeuwigheid. 'Wij moeten samen op zoek naar de blauwe tijger.'

11. Napajistan

Drie dagen later staat Joep op het vliegveldje van Napajistan en kijkt hij samen met Kikantaro een propellervliegtuigje na dat met toenemende snelheid over de startbaan hobbelt.
'Nu gaat ons avontuur echt beginnen.' Kikantaro voelt aan een groot zwaard dat aan zijn riem hangt.
'Maar dit was al het vierde vliegtuig waar we in zaten!' werpt Joep tegen. 'We zijn de halve aardbol overgevlogen, veel verder reizen is nauwelijks mogelijk! Bovendien hebben we helemaal geen bagage bij ons, niet eens een tandenborstel of een schone onderbroek, en waar zijn we eigenlijk?'
'Dit,' zegt Kikantaro met een stem vervuld van ontzag en een blik die dwaalt over uitgestrekte laagvlaktes, donkere bossen en bergketens in de verte, 'dit is het land van de blauwe tijger.' De uitdrukking op zijn ronde gezicht is zo grimmig dat Joep de zenuwen krijgt. Wat staat hem te wachten?
'Zullen we niet liever teruggaan en mama vertellen dat ik nooit superstoer zal zijn,' oppert Joep. 'Maar dan ben ik wel ongedeerd en springlevend. Dat is toch ook veel waard?'
'Je bedoelt opgeven?' vraagt Kikantaro met zo veel afgrijzen in zijn stem dat Joep meteen begrijpt dat opgeven het allervieste woord is dat een worstelaar kent.

'Was maar een grapje,' zegt hij bedeesd en hij pakt Kikantaro's hand vast.
Kikantaro knikt tevreden en bestudeert langdurig de wolkeloze lucht.
'Die kant op,' wijst hij met een bijl en hij stapt op zijn rieten teenslippers en gehuld in een kuitlange, geruite mantel de graslanden in.
Joep volgt hem op zijn gympen langs een smal pad tussen manshoog, verdord gras door. Overal om hen heen raspen krekels hun vleugels langs hun achterpoten. Het geluid is zo monotoon en overheersend dat het Joep verdooft en er geen enkele gedachte meer door zijn hoofd speelt.
Hij loopt en loopt, urenlang, met zijn blik op Kikantaro's hielen gericht, zijn schouders strijkend langs de vergeelde stengels. Hij heeft geen idee waarheen ze gaan en geen enkel benul van tijd.
Bij ieder zijpad blijft Kikantaro staan met zijn ogen op de zon gericht en pas na lang wikken en wegen kiest hij een richting en vervolgen ze hun tocht.
Joeps mond voelt kurkdroog, zijn lippen zijn gebarsten en een honger dat hij heeft! Hij zou wel drie chocoladepuddingen op kunnen. Maar hij durft Kikantaro niks te vragen, want die moet zich zo concentreren om de juiste weg te nemen dat Joep hem absoluut niet wil storen. Als je in deze uitgestrekte graslanden verdwaalt, ben je verloren, daarvan is hij overtuigd.

'Tijd om een slaapplek te maken,' zegt Kikantaro als de laatste zonnestralen rood tussen de stengels

door schijnen. 'Volg me voorzichtig, trap geen enkel sprietje plat. Het moet niet te zien zijn dat we hier het pad hebben verlaten.'
Behoedzaam zijn slippers naast de stengels op de uitgedroogde grond plaatsend, baant Kikantaro zich een weg erdoorheen. Joep ziet de stengels ver opzij buigen door de omvang van Kikantaro's gigantische lichaam, maar afbreken doen ze niet.
Opeens draait Kikantaro zich naar Joep toe en laat hij zich zomaar ruggelings en met gespreide armen achterover vallen. Hij krabbelt overeind en laat een grote, geplette plek achter. Hij valt nog eens, maar dan een lichaamsbreedte ernaast.
'Kom zitten.' Uitnodigend spreidt hij zijn rood-zwart geruite mantel uit op de ontstane open plek en afgepeigerd ploft Joep neer.
'Goed gedaan, Joep, geen grassprietje is om, nu zijn we veilig.'
Joep kijkt naar de grasstengels die rondom hen een hechte wand vormen, als een kasteelmuur.
Veilig voor wat? denkt hij bezorgd.

12. Sterrenbeelden

Na een maaltijd van het lekkerste uitgedroogde brood en het koelste lauwe water dat Joep ooit heeft geproefd, ligt hij dicht tegen Kikantaro aan, zijn ogen verdwalend in de uitgestrekte sterrenhemel.
'Zie je daar dat groepje lichtpuntjes?' wijst Kikantaro. 'Dat is het sterrenbeeld van de zwarte draak. En daar links, die grillige sterrenlijn met poten, dat is de blauwe tijger.'
Joep veert op.
'Wát zeg je? Die paar sterren op een rijtje, is dát de blauwe tijger waar iedereen zo doodsbang voor is?'
Een opgeluchte lach ontsnapt aan zijn lippen.
'Juich niet te vroeg, Joepie,' waarschuwt Kikantaro. 'Wat ik aanwees, is alleen het sterrenbeeld, niet de tijger zelf.'
Joep kijkt nog eens goed naar de lijn van de sterren en kan er niks gevaarlijks aan ontdekken.
'Vertel eindelijk eens over die tijger. Je doet steeds zo geheimzinnig.'
'Liever niet,' antwoordt Kikantaro, 'want dan lig jij de hele nacht wakker en kan ik niet slapen.'
'Heus niet,' zegt Joep. 'Verhalen maken mij niet bang, dus vertel maar.'
Kikantaro ademt diep in om moed te verzamelen.
'De blauwe tijger,' begint hij op ingehouden toon, 'is het allergevaarlijkste dier dat er bestaat en zelfs

......

de sterkste en behendigste man ter wereld waagt zich niet in zijn nabijheid. Maar soms is er geen ontkomen aan, dan word je door omstandigheden gedwongen de strijd met de blauwe tijger aan te gaan, en dat, Joep, is nu.'
Met steeds meer kippenvel op zijn armen luistert Joep naar de toenemende angst in Kikantaro's stem.
'Maar waarom, Kikantaro,' roept hij uit, 'waarom moeten wij daar naartoe?'
'Stt, niet zo hard!' Kikantaro tilt zijn hoofd op om te luisteren en Joep voelt hoe hij zijn hand verplaatst van zijn borstkas naar het zwaard tussen hen in.
'Waarom stil zijn?' fluistert Joep gejaagd. 'Voor wie ben je bang?'
'Rovers.'
'Rovers? Maar we hebben alleen water en een broodkorst bij ons!'
'Die rovers zijn op zoek naar een nagel van de blauwe tijger, omdat die lafaards zelf de blauwe tijger niet durven te benaderen. Daarom beroven ze iedereen die ze tegenkomen in de hoop zo'n nagel te pakken te krijgen.'

'Wauw! Liggen we hier wel goed genoeg verstopt?' Angstig kijkt Joep naar de grasstengels die weliswaar op een kasteelmuur lijken, maar waar iedereen moeiteloos doorheen kan stappen.
'Rustig maar,' sust Kikantaro, 'als we muisstil zijn, worden we door niemand opgemerkt. Alleen vannacht zouden de rovers kunnen komen. Morgen

bevinden we ons in het donkere bos en daar wagen ze zich van hun levensdagen niet.'
Met duizelingwekkende vaart tollen allerlei afschuwelijke woorden door Joeps hoofd. Blauwe tijger, donkere bossen, rovers, help! Waarom hij?
'Kikantaro,' fluistert hij nauwelijks hoorbaar, 'waarom moet ik die tijgernagel gaan halen?'
Kikantaro zucht diep.
'Sorry, ik had je niet bang moeten maken. Ik heb er spijt van.' Hij slaat zijn linkerarm als een beschermend schild om Joep heen en trekt hem nog dichter tegen zich aan.
'Waarom ik, Kikantaro?'
'Als jij de nagel van de blauwe tijger te pakken krijgt, zal iedereen ontzag voor je hebben, zowel op het voetbalveld als op de worstelschool. Stoer en sterk als de tijger zelf ben je dan, en jouw mama zal trots zijn, Joep, megatrots, en dat wil je toch?'

13. Twijfels

Voor de tweede dag volgt Joep de zwoegende Kikantaro door de graslanden. De zon brandt aan de hemel, er staat geen zuchtje wind en de urenlange tocht heeft Kikantaro's mantel doordrenkt van het zweet.
Joep is duizelig van vermoeidheid. De afgelopen nacht heeft hij urenlang met opengesperde ogen naar de sterrenhemel gestaard. Dwars door Kikantaro's gesnurk heen hoorde hij tijgers naderen en rovers rondsluipen, maar gelukkig gebeurde er niks.
Kikantaro blijft even staan en geeft Joep water en brood.
Hoelang nog? wil Joep vragen, maar bang voor het antwoord houdt hij zijn mond.
Hoe belangrijk is dat dansen eigenlijk? vraagt Joep zich af als ze de tocht vervolgen. Belangrijk genoeg om mijn halve been eraf te laten bijten door een uitgehongerde tijger? Maar zonder benen kan ik het dansen helemaal vergeten. Zal ik tegen Kikantaro zeggen dat mama haar zin krijgt en ik duizendmaal liever worstel of voetbal en nooit meer wil dansen? Dat is wel liegen, maar dan kunnen we tenminste omdraaien en teruggaan. Dan is deze narigheid voorbij.
'Kikantaro?' begint Joep voorzichtig.
'Nu niet!' Waarschuwend steekt Kikantaro zijn

hand naar achteren en hij vertraagt zijn pas.
Rovers! denkt Joep en geschrokken klampt hij zich aan Kikantaro's middel vast.
'Kijk, hoe wondermooi,' zegt Kikantaro en hij laat Joep onder zijn wijde mouw door kijken.
Verrast kijkt Joep naar een helderblauw meertje, omringd door een bloemenweide.
'Zijn we eindelijk uit de dorre graslanden?'
'Gelukkig wel, ik kan geen vergeelde spriet meer zien. Laten we gaan zwemmen.' Kikantaro slingert Joep over zijn schouder en begint te rennen.
Plons! Met kleren en al springt de worstelaar het meertje in. Joeps schoenen lopen vol water en hij lacht uitgelaten. Wat voelt dit verrukkelijk! Samen poedelen en dobberen ze in het meertje en vullen de waterflessen.
Terug op de oever trekt Joep zijn spijkerbroek en gymschoenen uit en gaat hij languit in het gras liggen. Hij is zo moe dat hij zou kunnen slapen. Kikantaro hangt Joeps spullen naast zijn eigen mantel te drogen en gaat met vers geplukte vruchten naast hem zitten.
'Weet je dat ik al dans sinds mijn vijfde?' vertelt Joep dromerig als Kikantaro hem een vruchtenpartje geeft. 'Toen hoorde ik voor het eerst vioolmuziek en dat vond ik zó mooi. Die zuivere klanken kropen rechtstreeks mijn hart in, net alsof ze daar thuishoorden, en voordat ik wist waarom, danste ik hoog op mijn tenen door de woonkamer. Mama lachte me uit en riep toen voor het eerst: "Doe niet zo idioot, je bent toch geen meid!"

Maar ik kon niet stoppen, mijn benen wilden dansen en mama haastte zich om de radio op een andere zender te zetten. Sindsdien zitten die vioolmuziek en het dansen in mij, en horen ze bij me als een herdershond bij zijn baas.'
'Er bestaan tegenwoordig toch ook heel stoere dansen?' vraagt Kikantaro. 'Ik zie sommige jongens op hun hoofd rondtollen alsof ze een tornado zijn. Andere jongens kronkelen als slangen over de grond of bewegen schokkerig als robots. Stoer dansen vindt je moeder vast wel prima, dus waarom doe je dat niet?'
'Dat is zó knap wat die kinderen doen,' zegt Joep blij dat hij eindelijk met een volwassene over dansen kan praten. 'Ze hebben een fantastisch ritmegevoel en die bewegingen die ze maken zijn supercool. Maar bij de muziek in mijn hoofd passen die bewegingen niet.'
'Tja,' zegt Kikantaro peinzend, 'dan moeten we toch die tijgernagel hebben. Dus aankleden, Joep, we moeten verder. Het donkere bos wacht op ons.'

14. Gevangenis

Met zijn hand om zijn bijl geklemd stapt Kikantaro op een muur van niet al te dikke boomstammen af, die zo dicht naast elkaar staan dat het tralies lijken. Achter de eerste rij boomstammen staat een volgende rij, en daarachter nog een, en nog een, en nog een, en nog een. Nergens kan Joep een doorgang ontdekken, ruim genoeg voor de worstelaar.
Kikantaro stroopt zijn mouwen op en schuift zijn zwaard op zijn rug. Met een machtige zwaai van zijn bijl begint hij op een boom in te hakken. De houtspaanders vliegen in het rond en luid krakend wordt boom na boom geveld. Kikantaro loopt langzaam voorwaarts.
Joep kan met zijn tengere lijf gemakkelijk tussen de stammen door en bevindt zich al gauw dieper in het bos, waar de bomen verder uiteen staan en stammen hebben zo breed als tempelzuilen. Het aaneengesloten bladerdak hangt hoog als het plafond van een kathedraal. Er sijpelt maar weinig zonlicht tussen de bladeren door en op de grond is het koel, schemerachtig en, op het hakken van Kikantaro na, doodstil.
Joep kijkt als betoverd naar de sprookjesachtige omgeving die eruitziet als een theater. Voor het eerst sinds dagen voelt hij de danskriebels door zijn lichaam gaan. Wonderschone muziek klinkt in zijn

hoofd en als vanzelf begint hij hoog op zijn tenen tussen de bomen te dansen. Totdat hij opschrikt van Kikantaro's stem.
'Joep, help! Het bos heeft me ingesloten!'
Joep rent terug en ziet dat Kikantaro hopeloos gevangen zit tussen de boomstammen. Zijn mantel en benen zijn overdekt met houtschilfers en stukken schors.
'Mijn bijl zit muurvast en de bomen achter me groeien weer razendsnel aan. Help me, ik kan geen kant op!'
'Maar hoe moet ik je helpen?'
'Kun je bij mijn zwaard? Mooi, trek het voorzichtig tevoorschijn en hak alle bomen om mij heen om. Dat is een geweldige oefening voor je gevecht met de blauwe tijger.'
'Wát zeg je?' Joep voelt zich draaierig worden en zoekt steun tegen een boomstam. 'Moet ík vechten tegen de blauwe tijger?'
'Natuurlijk, jij moet toch een tijgernagel hebben? Schiet op, hakken!'
'Maar jij bent veel sterker!' roept Joep zenuwachtig uit. 'Jij bent gewend om met zwaarden en bijlen te slaan. Met die tijger vechten wordt mijn ondergang!'
'Klets geen onzin, Joep, bevrijd mij eerst. Pak dat zwaard stevig vast en ga hakken. Je zult verbaasd zijn hoe makkelijk dat gaat.'
Aangespoord door Kikantaro's kordate toon zoekt Joep een plek waar hij voldoende ruimte heeft om uit te halen.

‘Bepaal eerst waar je de boomstam wilt raken, dan het zwaard langzaam omhoog doen, versnellen naar beneden, en je handen samenknijpen rond het handvat op het raakmoment.’
Joep geeft een geweldige klap, zijn arm tintelt van zijn pols tot zijn schouder, en het zwaard snijdt door de boomstam alsof het geen hout, maar trekdrop is.
‘Wauw!’ Stomverbaasd kijkt Joep naar de doormidden gekliefde stam. ‘Ik wist niet dat ik zoiets kon!’
‘Het is een bijzonder zwaard, Joep. Jij kunt alles, dus hak nu onmiddellijk de volgende boom om. Ik krijg het benauwd in deze kooi.’
Joep hakt en slaat en juicht nog harder dan Kikantaro als hij hem met een laatste, overweldigende klap bevrijdt.
‘Snel, we moeten verder,’ zegt Kikantaro en gehaast bergt hij het zwaard weer op. ‘Voor zonsondergang wil ik dit bos uit zijn. Overdag is het hier al aardig donker, maar ’s nachts is alles zwarter dan zwart.’

15. Doorlopen!

Joep moet rennen om Kikantaro bij te houden. De worstelaar neemt gigantische stappen en zet veel krachtiger af dan gewoonlijk.
'Kikantaro, wacht op me,' roept Joep vermoeid. Zijn ogen zijn gericht op Kikantaro's kuiten, die rond en opgepompt als voetballen om de beurt vanonder zijn halflange mantel tevoorschijn komen.
'Niks wachten, doorlopen, we moeten nog een heel eind!' commandeert Kikantaro zonder vaart te minderen. 'We hebben veel tijd verloren en het wordt razendsnel donker.'
'Hoe weet je dat? Het is steeds al schemerig, ik zie geen verschil.'
'Ik hoor het aankomen.'
'Hoor je het donker aankomen?' Van verbazing valt Joep terug in tempo en hij luistert met gespitste oren, maar hoort helemaal niets, zelfs geen vogeltje dat fluit of egeltje dat ritselt. 'Wat hoor je dan?'
'Doorlopen!' zegt Kikantaro hijgend van inspanning en nerveus spiedt hij om zich heen. Plotseling draait hij zich om en hij tuurt over Joep heen in de verte, zijn ogen uitpuilend van angst.
'Rennen!' schreeuwt hij en op zijn slippers gaat hij ervandoor.
Ook Joep kijkt achterom, maar hij ontdekt niets om bang van te worden.

……

Kikantaro is kierewiet geworden, denkt hij. Dat gevangenzitten heeft zijn verstand aangetast.
'Joep, alsjeblieft, rennen!' In Kikantaro's stem klinkt zo veel paniek dat Joep niet langer twijfelt en een sprintje trekt.
'Te laat, Joep, we redden het niet,' jammert Kikantaro als Joep hem inhaalt. Snakkend naar adem begint de worstelaar zijn *mawashi* van zijn heupen te wikkelen. 'Neem het zwaard en ga met je rug tegen de mijne staan. Vlug, we moeten ons aan elkaar vastbinden, dan kun jij niet meegenomen worden. Hier, pak aan en geef door.'
'Meegenomen worden? Door wie?' Joeps ogen schieten van links naar rechts op zoek naar een vijand.
'Pak aan en geef door!' Kikantaro port krachtig met zijn elleboog in Joeps zij en geeft de linnen band met zijn rechterhand aan Joep. Joep haalt de band voor zijn buik langs en geeft hem aan de andere kant weer terug aan Kikantaro. Tegen de tijd dat alle band gebruikt is, zitten ze ruggelings stevig aan elkaar vastgebonden.
'Meegenomen door wie?' schreeuwt Joep.
'Luister, als ik zeg: "zitten", gaan we tegelijkertijd zitten, duidelijk? Ben je er klaar voor? Zitten!'
Joep moet zijn voeten schrap zetten en met zijn hele gewicht tegen Kikantaro aan hangen om niet weggeduwd te worden. Gezamenlijk ploffen ze op hun achterwerk op de bosgrond.
'Verberg je hoofd in je armen,' fluistert Kikantaro, 'en niet bewegen. Misschien worden we niet opgemerkt.'

‘Door wie?’ fluistert Joep. Op dat moment klinkt er een hoog gesuis dat tussen de bomen door dichterbij lijkt te komen. Hij gluurt voorzichtig over zijn armen heen en ziet een gitzwarte vloedgolf, hoger dan de bomen, door het bos heen spoelen. Stam na stam, meter na meter wordt verzwolgen door een duisternis zwarter dan de nacht.
‘Als ik zeg: “opstaan”, gaan we tegelijk omhoog,’ fluistert Kikantaro. ‘Je houdt het zwaard stevig vast en slaat waar je maar kunt.’
‘Tegen wie vechten we?’ fluistert Joep met een overslaande stem van angst. ‘Wie is de vijand?’
‘Je vecht tegen je eigen angsten, Joep, die diep in je binnenste verscholen zitten. Die moet je overwinnen, anders zul je nooit echt gelukkig zijn.’

16. Overspoeld

Tussen zijn wimpers door ziet Joep de golf van duisternis zijn benen overspoelen. Doodsbang knijpt hij zijn oogleden stijf dicht en hij bereidt zich voor op een gevecht tegen …
Tegen wat eigenlijk? denkt hij. Mijn angsten? Maar wat zijn mijn angsten? Waar ben ik diep vanbinnen bang voor?
Achter zijn rug voelt hij Kikantaro huiveren en de paniek in zijn lijf groeit. Als zelfs die beresterke worstelaar geplaagd wordt door angsten, wat staat hem dan wel niet te wachten?
Door een kiertje tussen zijn wimpers probeert hij de vijand te begluren, maar hij ziet niet eens zijn eigen bovenbenen of onderarmen. Geen bomen, geen zwaard, de wereld houdt op bij zijn pupillen en is zwarter dan zwart. Ook is het stiller dan hij ooit voor mogelijk had gehouden. Het is of hij en Kikantaro onder een kom gevangen zitten en luchtdicht afgesloten zijn van de wereld.
Net als ik soms met Piepsie, mijn dwerghamster, doe, denkt Joep, en overvallen door spijtgevoelens begint hij bijna te huilen. Maar hij vermant zich, want Kikantaro heeft hem bezworen muisstil te zijn.
Joep voelt zich verdrietig en moederziel alleen en als hij niet Kikantaro's warme rug tegen de zijne had

gevoeld, had hij alle moed opgegeven.
Volhouden, denk aan iets fijns! gonst het door zijn hoofd. Vioolmuziek klinkt en al bij de eerste tonen weet hij dat hij de meeslepende en betoverende klanken in zijn hoofd niet zal kunnen stoppen.
Hou op! denkt Joep zenuwachtig, van die muziek ga je dansen en dat kan helemaal niet, je moet stilzitten, echt stilzitten!
Hij herhaalt aldoor dezelfde woorden: ik mag niet bewegen, ik mag niet dansen, nooit meer dansen.
De vioolmuziek in zijn hoofd zwelt aan en dreigt de woorden te overstemmen.
Niet dansen, niet dansen, dan houden papa en mama niet van me en dat moet wel! Niet dansen, gewoon niet dansen, echt niet dansen, nooit meer, nee, nooit meer!
Hoe krampachtiger hij zich vastklampt aan die gedachte, hoe ongelukkiger hij zich voelt.
De diepe zucht die hij slaakt, ontsnapt aan zijn hart en klinkt zo intens verdrietig dat hij er zelf van schrikt. De uitgestoten adem lijkt zich met toenemende kracht door de duisternis te verplaatsen en komt vanuit alle richtingen echoënd en tientallen keren, nee, duizend keer versterkt zijn kant op.
Dus dat is mijn grootste angst! dringt het in alle hevigheid tot Joep door. Mijn allergrootste angst is dat ik mezelf zou verbieden om te dansen.
'Sorry, Kikantaro,' fluistert Joep, 'mijn angst heeft de vijand in onze richting gelokt.'
'Opstaan!' fluistert Kikantaro scherp.
De ademtocht giert met vele koppen door het bos,

terwijl Joep uit alle macht tegenwicht geeft aan Kikantaro die zowat ruggelings boven op hem tuimelt. Hij steekt het zwaard schuin voor zich in de grond, zet zich ertegen schrap en werkt zich tegelijkertijd met Kikantaro overeind.
Een venijnige windstoot rukt aan Joeps hoofd. Hij trekt het zwaard uit de grond en houdt het in de aanslag.
'Wat er ook gebeurt, Joep, laat het zwaard niet los en vecht tegen je angsten!' schreeuwt Kikantaro boven de stormwind uit.
'Nooit zal ik stoppen met dansen!' schreeuwt Joep met zijn handen om het zwaard geklemd. Iets nats slaat in zijn gezicht en Joep tilt zijn zwaard hoog op en haalt fel uit. Achter zijn rug hoort hij Kikantaro angstig schreeuwen en in wilde paniek slaat de worstelaar met de bijl om zich heen.
'Haal dat beest weg, haal weg!' gilt Kikantaro.
Wat vreselijk, Kikantaro moet vechten tegen een gigantische draak! Nog feller haalt Joep uit naar de ondoorgrondelijke duisternis.
'Mezelf verbieden om te dansen?' schreeuwt Joep. 'Vergeet het maar!' en hij geeft een machtige klap.
'Nee, heeeelp, niet doen!' brult Kikantaro.
'Ik dans waar, wanneer en zo veel als me goeddunkt, en mama, ooit zul je trots op me zijn!' Weer geeft Joep een overweldigende slag.
'Hé Kikantaro, vecht jij ook nog mee?' vraagt Joep als hij achter zich geen beweging meer voelt. 'Kikantaro, geef antwoord, toe, wat is er? Je bent toch niet gewond?'

17. Willoos vlees

Achter zijn rug hoort Joep Kikantaro onbedaarlijk huilen en hij schrikt daar zo vreselijk van dat hij niet eens opmerkt dat de wind gaat liggen en het duister zich terugtrekt. Kikantaro, de wereldberoemde sumoworstelaar met de brede borstkas en de enorme schouderpartij, snikt en snottert als een kleuter. Schokken van verdriet trekken door zijn gigantische lichaam en zijn zo hevig dat Joeps lijf meeschudt.

'Kikantaro, wat is er?' vraagt Joep ontredderd. 'Heb je zo'n pijn?'

'Ik heb verloren,' huilt Kikantaro. 'Mijn bijl is afgepakt, mijn eer is foetsie, ik wil niet meer.'

Wat krijgen we nou? Joep luistert met stijgende verbazing naar de woorden van de worstelaar.

'Van wie heb je verloren?' vraagt hij voorzichtig om Kikantaro niet nog erger te laten huilen.

'Van een mui-huis,' snikt Kikantaro.

'Een muis?' herhaalt Joep vol ongeloof. 'Heeft een muis je bijl afgepakt? Maar dan moet het een reuzenmuis geweest zijn.'

'Een veldmui-huisje. Hij kroop in mijn linkermouw en trippelde razendsnel naar mijn oksel. Ik was vreselijk ba-hang, heb mijn bijl losgelaten om hem uit mijn mouw te schudden en toen, toen nam het duister mijn bijl mee. Dus ik heb compleet gefaald.'

Kikantaro begint zo vreselijk te snotteren dat Joep er misselijk van wordt.
'Dan gaan we toch terug,' stelt hij voor. 'Dat wil ik al vanaf het begin.'
'Nee, niet terug, nooit meer. Ik ben een mislukkeling. Voor altijd blijf ik hier zitten.'
Help! denkt Joep als de gevolgen van Kikantaro's woorden tot hem doordringen, die worstelaar wil niet meer vooruit of achteruit. Wat moet ik doen? Alleen vind ik nooit de weg terug naar het vliegveld. Moet ik blijven ronddwalen in dit ellendige bos en iedere nacht vechten tegen mijn angsten, totdat ik, net als Kikantaro, verlies? Dat nooit!
'Droog je tranen, Kikantaro!' zegt Joep streng. 'Hier is je zwaard terug en nu stoppen met die aanstelleritis. Ik zal niemand vertellen over dat veldmuisje, dat zweer ik.'
Hij haalt de knoop uit de linnen band en geeft Kikantaro een elleboogstootje.
'Aanpakken en doorgeven!' beveelt Joep en hij reikt het uiteinde van de *mawashi* aan.
'Het komt allemaal door mijn moe-hoe-der,' snikt Kikantaro terwijl hij de band aan de rechterkant weer teruggeeft. 'Ik was doodsbang voor muihuizen, maar toch moest ik de muizenvanger zijn. Op een feestavond rende er eentje over de eettafel. Hij verdween onder een kledingkast. Ik moest hem opjagen met een bamboestok en toen schoot hij mijn broekspijp in en dat was zo e-heng.' Kikantaro huilt nu zo hard dat alles aan hem spettert en drupt en zodra de band helemaal losgemaakt is, rolt hij

jankend op zijn buik en verbergt hij zijn gezicht in zijn vlezige armen.

Verslagen kijkt Joep naar de worstelaar die gevloerd als een walrus op de bosgrond ligt en nooit meer overeind lijkt te willen komen.

Pfff, blaast Joep. Tweehonderd kilo willoos vlees, hoe krijgt hij ooit Kikantaro weer op de been?

Hij begint troostend over de gespierde mannenrug te wrijven en spreekt Kikantaro op allerlei manieren moed in. Hij vleit hem en prijst hem totdat zijn mond compleet is uitgedroogd, maar het helpt geen snars: de worstelaar blijft roerloos liggen als een pruilend kind.

Dan is Joep het zat. Het is misschien niet aardig, denkt hij terwijl hij zijn hand onder Kikantaro's mantel steekt, maar ik moet toch wat.

'Pas op, een muis!' gilt hij en snel laat hij twee vingertoppen langs Kikantaro's wervelkolom omhoog rennen.

Kikantaro vliegt overeind en begint zo panisch op zijn eigen lichaam te slaan dat het vlees ervan kletst en Joep opgelucht begint te lachen. Als een op hol geslagen olifant sjeest de worstelaar door het bos, zijn loshangende mantel wapperend achter zich aan.

Joep ligt dubbelgevouwen van het lachen, totdat Kikantaro zich omdraait en met grote stappen op hem af komt.

'Er was helemaal geen muis!' schreeuwt hij met vuurspuwende ogen. 'Jij misselijk ventje lacht mij uit, en dat is een gruwelijke belediging. Hakkeyoi! Wij gaan worstelen.'

Help! denkt Joep.
'Ik, ik wilde je helemaal niet beledigen,' stamelt hij, maar Kikantaro nadert met zo'n snelheid dat Joep zich niet langer bedenkt en zich vliegensvlug omdraait.
Wegwezen, als die worstelaar mij te pakken krijgt, dan ...

18. Muurvast

'Hakkeyoi!' schreeuwt Kikantaro woedend, alsof hij Joep met schoenveters en al onder de bosgrond wil stampen. Joep rent zijn benen uit zijn lijf.
Als die Japanse bulldozer boven op me duikt, ben ik platter dan een pepermuntje!
'Lafaard, muizentreiterkop, blijf staan!' Op zijn teenslippers en met zijn *mawashi* als een riem om zijn mantel gebonden zet Kikantaro de achtervolging in.
Joep rent en rent, zijn blik gericht op een plek waar helder daglicht het bos binnendringt. Daar moet hij zijn! Zodra Kikantaro in het zonlicht staat, zal zijn driftbui wel overgaan en hopelijk vergeeft hij hem het muizengeintje.
Joep kijkt over zijn schouder en ziet Kikantaro van vermoeidheid steeds langzamer gaan.
Als hij maar niet weer gaat zitten! schrikt Joep.
'Hé dikzak, kun je me niet bijhouden?' sart Joep en hij rent terug tot vlak bij Kikantaro. Zijn handen plaatst hij als muizenpootjes onder zijn kin, zijn boventanden steekt hij over zijn onderlip en hij rimpelt zijn neus als een snuffend muisje.
'Hakkeyoi!' schreeuwt Kikantaro met opvlammende ogen en hernieuwde energie.
Gelukt! Snel vlucht Joep richting de zonnestralen die verderop tussen het bladerdek door kieren.

Steeds meer zonlicht schijnt in Joeps ogen en van geluk begint hij uitgelaten te dansen.
'Blijf staan!' schreeuwt Kikantaro.
Mij niet gezien, denkt Joep. Laat hem eerst maar uitrazen. Vederlicht danst hij tussen de laatste bomen door het bos uit.
'Stop!' brult Kikantaro. 'Kom teruuug!'
Op de toppen van zijn tenen en zijn armen sierlijk boven zijn hoofd gestoken, draait Joep om zijn as. Hij ziet Kikantaro wild gebaren. Is die worstelaar nog steeds niet gekalmeerd?
Om op veilige afstand van Kikantaro te blijven, trippelt hij over drassige grond verder van het bos vandaan.
'Sorry!' roept hij. 'Ik wilde je niet beledigen!'
'Stop, alsjeblieft, stop!' schreeuwt Kikantaro.
Wat klinkt zijn stem eigenaardig, denkt Joep, alsof hij bang is en monsters ziet. Hij kijkt om zich heen, maar ziet nergens gevaar. Wat heeft Kikantaro toch?
Een valstrik! weet Joep opeens.
Kikantaro komt snel dichterbij en Joep wil verder achteruit stappen. Maar wat zullen we nou krijgen, zijn voet wil niet omhoog! Hij staat opeens tot zijn enkels in de blubber, alsof hij door de aardbodem gezakt is. Rondom zich ziet Joep luchtbelletjes vanuit de vochtige grond opbollen. Ze worden groter en ronder totdat ze uiteenspatten en pas nu dringt een rottende moeraslucht tot hem door.
Joep probeert zijn andere voet op te tillen, maar ook die zit muurvast. Rechtervoet maar weer, geen beweging, linkervoet, ook geen beweging en bij

iedere poging die hij onderneemt, zakt hij dieper weg in de zompige moerasgrond. Hij zit nu tot zijn knieën vast, en angstig kijkt hij naar Kikantaro die een paar meter verderop staat te hijgen.
'Alsjeblieft, help me, ik zit muurvast!'
'Waarom luisterde je niet naar me!' schreeuwt Kikantaro kwaad.
Joep haalt beschaamd zijn schouders op.
'Niet bewegen!' waarschuwt Kikantaro scherp.
'Heel stil staan en niet bang zijn. Ik haal je hier uit, dat beloof ik.'
Joep voelt hoe het moerasvocht langs zijn broekspijpen omhoog kruipt. Zo meteen zit hij tot halverwege zijn bovenbenen vast. En daarna tot aan zijn heupen of helemaal tot aan zijn … Hij huivert. Nee, daaraan wil hij niet denken.

19. Sabbelende modder

Joep zit tot aan zijn liezen vastgezogen in het moeras en wil het uitschreeuwen van angst, maar dat heeft Kikantaro streng verboden. Hij mag helemaal niks, zelfs geen stekende muggen doodslaan of met zijn ogen knipperen, want hoe meer hij beweegt, hoe sneller de blubber hem opslokt.
Een dichte moerasnevel komt opzetten en grauwwitte mistflarden drijven tussen Joep en Kikantaro door.
Onscherp ziet Joep de worstelaar zijn mantel uittrekken en gekleed in zijn *mawashi* in aanvalshouding voor een boom gaan staan.
'Hakkeyoi!' Kikantaro omarmt de boomstam en begint aan zijn zwaarste worstelpartij ooit. Gekraak klinkt, alsof een compleet regenwoud geveld wordt, en turend in de potdichte mist ziet Joep Kikantaro de boom uit de grond rukken.
'Ongeloooooflijk!' fluistert hij ademloos van bewondering.
Stapje voor stapje zwoegt Kikantaro met de kaarsrechte boom in zijn armen in Joeps richting. Zijn gezicht ziet donkerpaars van inspanning en zijn beenspieren zwellen op tot meloendikte. Kikantaro kreunt zo hartgrondig dat Joep vreest dat de worstelaar ieder ogenblik onder het gewicht van de boom kan bezwijken. Stap, dreun, stap, dreun ... dichter-

......

en dichterbij komt Kikantaro.
'Stoppen, anders zit jij ook muurvast in die blubberzooi!' waarschuwt Joep zenuwachtig.
Precies aan de moerasrand tilt Kikantaro, met een laatste krachtsinspanning, de boom nog hoger op om hem vervolgens als een heipaal in het moeras te planten. Dikke moerasdrab spettert in bogen en klonten alle kanten op en Joep moet zijn ogen dichtknijpen.
'Staat steviger dan een huis!' Kikantaro straalt van zelfvertrouwen als hij met zijn volledige gewicht tegen de boom duwt die tot halverwege zijn stam in het moeras verdwenen is. De takken reiken tot boven Joeps hoofd, maar zitten net te hoog om erbij te kunnen.
Kikantaro wikkelt zijn *mawashi* weer los en poedelnaakt bestudeert hij de boomtakken.
'Schiet alsjeblieft op!' smeekt Joep als de mistflarden hem weer insluiten en hij het moeras tegen zijn liezen voelt drukken.
'Haal voorzichtig je broekriem uit de lussen,' klinkt Kikantaro's stem vanuit de nevel. 'Daarna moet je hem losjes om je middel vastgespen, zodat hij voldoende ruim is om over je borstkas te glijden. Met rustige bewegingen, jongen!'
Joep trekt uiterst behoedzaam zijn riem uit de broeklussen en gespt hem boven zijn heupen vast.
'Klaar!'
Even is het zicht helder en Joep ziet dat Kikantaro zijn mantel draagt en de meterslange *mawashiband* opgerold heeft tot een bal.

'Opgelet!' Kikantaro houdt het uiteinde van de linnen band vast en de rest gooit hij naar Joep die zich moet uitrekken om de bal te vangen.
'Onder je riem doorhalen en de rest teruggooien,' commandeert Kikantaro.
Joep concentreert zich op zijn bewegingen. Gelijkmatig en vloeiend alsof hij danst, zonder onnodige bewegingen of kracht te zetten. Ondanks dat voelt hij de koude moerasblubber langs zijn billen verder omhoog kruipen.
'Komt-ie!' Hij werpt en zakt tegelijkertijd nog dieper weg.
'Ik kan er niet bij!' antwoordt Kikantaro.
Vliegensvlug haalt Joep de *mawashi*band weer naar zich toe en hij gooit opnieuw. De modder sabbelt nu al aan zijn navel.
'Hebbes!' Met de uiteinden van de *mawashi* tussen zijn tanden geklemd, klimt Kikantaro de boom in en hij schuift voorzichtig over een dikke boomtak tot boven Joep. Behendig gooit hij één kant van de *mawashi* over een hogere tak, hij vangt hem weer op en roept: 'Opgelet, Joep, ik ga takelen.'

20. Overgewicht

Joeps riem schuift stroef en branderig over zijn huid tot okselhoogte als Kikantaro de *mawashi*band straktrekt. Vlug pakt hij de band boven zijn hoofd vast om de druk rond zijn borstkas te verminderen. Joep hoort Kikantaro puffen van inspanning en voelt tegelijkertijd de blubber aan zijn benen zuigen alsof het moeras vastbesloten is hem nooit meer los te laten.
Kikantaro trekt en sjort. De boomtak waar hij op zit, buigt maximaal door onder zijn indrukwekkende gewicht.
'Alsjeblieft, niet afbreken,' prevelt Joep. 'Anders liggen we allebei in het moeras te spartelen en zijn we reddeloos verloren.'
'Het lukt!' roept Kikantaro enthousiast. 'Ik zie je langzaamaan dichterbij komen!'
Ook Joep ziet de afstand tot Kikantaro verkleinen, maar wat eigenaardig is: zijn navel zit nog steeds onder moerasniveau. Hoe is dat mogelijk?
'Kikantaro!' schreeuwt Joep. 'Niet ík kom omhoog, maar de boom zakt naar beneden!'
De worstelaar stopt met trekken en peilt met opgetrokken wenkbrauwen de afstand tot Joep.
'Ik ben een ietsepietsie te zwaar,' antwoordt hij aangeslagen. Wrijvend over zijn platte voorhoofd staart hij langdurig naar de boomtop.

Joep rilt van kou en narigheid en hij is er langzamerhand van overtuigd dat zelfs de machtige worstelaar hem niet kan redden.
'Dankjewel, Kikantaro dat je alles geprobeerd hebt,' zegt Joep met zijn ogen gericht op de blubber die tot halverwege zijn borstbeen reikt. 'Je bent een superworstelaar en sorry van mijn muizentruc, dat was een waardeloos plan,' verontschuldigt hij zich klappertandend. 'Ik vind je helemaal geen dikzak, echt waar niet, jij bent de sterkste en moedigste worstelaar van allemaal.'
'Niet kletsen, Joep, maar vasthouden!' schreeuwt Kikantaro van bovenaf.
Joep ziet dat de uiteinden van de *mawashi* vastgebonden zijn aan een stevige tak en dat Kikantaro tot boven in de boomtop geklommen is.
'Hakkeyoi! Hakkeyoi!' Kikantaro beukt doorlopend met zijn bovenlijf tegen de boomtop en tergend langzaam begint de boom de andere kant op te hellen, richting bosrand.
De riem schuurt in Joeps oksels en hij grijpt zich vast aan een laaghangende tak. Het moeras zuigt als een uitgehongerde baby aan zijn benen en zijn schoenen glijden van zijn voeten als hij stukje bij beetje omhoog komt uit het moeras.
'Hakkeyoi!' schreeuwt Kikantaro weer en als een baviaan gaat hij onder aan de schuinstaande boomtop hangen. Langzaam zakt hij ruggelings met boom en al naar de grond.
Joeps okselhuid voelt rauw als schuurpapier, zijn armen worden bijna uit hun schouderkommen ge-

rukt als de boom sneller en sneller omvalt. Kikantaro brult, bladeren ruisen, takken kraken, en Joep wordt zowel uit het moeras als uit zijn broekspijpen gesleurd. Hij vliegt achter de boom aan en belandt met een slinger midden in het bladerdek.
'Gelukt!' juicht hij dolgelukkig. 'Kikantaro, fantastische superworstelaar, het is je gelukt! Kikantaro? Kikantaro, waar zit je?'
Duistere Japanse woorden klinken vanonder de boom, takken bewegen en eindelijk steekt Kikantaro zijn hoofd tussen de bladeren door.
'Even uitrusten,' puft de worstelaar, 'dan stoot ik de boom opzij en daarna moeten wij eens serieus praten.'

21. De zwaarddrager

Joep ligt uitgestrekt op de grond, zijn ogen gesloten. Zijn lichaam is geradbraakt en hij heeft het gevoel minstens tien centimeter langer te zijn dan eerst. Kikantaro veegt zorgvuldig met een mantelpunt de ergste blubber van Joeps lichaam en begint dan zijn schaafwonden en muggenbulten te verzorgen met verzachtende zalf.
'Die toon die jij daarnet aansloeg in dat bos,' begint Kikantaro streng als hij zijn eigen schrammen insmeert, 'en zoals jij mij uitlachte ...'
'Sorry,' onderbreekt Joep hem, 'echt waar, duizendmaal sorry, maar ik was bang dat je nooit meer zou opstaan.'
Kikantaro gromt: 'Helemaal geen sorry. Jij was verstandig en heldhaftig. Jij hield je koppie erbij toen dit pietepeuterige worstelaartje griende als een verwende rijkeluismeid.' Kikantaro spuugt vol minachting op de grond. 'Ik, wereldberoemd worstelaar, bang voor een piepklein veldmuisje, beschamend toch? Wat moet jij van me denken?'
'Kikantaro, je hebt zojuist mijn leven gered! Ik vind je superfantastisch!'
Kikantaro snuift vol ongeloof en spuugt nog een keer op de grond.
'Mijn ogen stroomden leeg als een lekke melkbeker, van zelfmedelijden, walgelijk gewoon.' Misprijzend

schudt Kikantaro zijn hoofd. 'Jezelf zielig vinden is kinderachtig en leidt tot niets. Waar zijn je broek en schoenen eigenlijk?'
'Achtergebleven in het moeras,' antwoordt Joep sip.
Kikantaro grinnikt en begint zijn zwaard uitgebreid schoon te poetsen. Hij wrijft er met zijn mantel overheen totdat het metaal blikkert in het zonlicht.
'Maar Kikantaro, jij vertelde toch dat iedere angst even zwaar weegt?'
'Dat klopt, maar doorslaggevend is hoe je ermee omgaat. Is de angst de baas over jou of vecht je ertegen? En jij hebt geweldig gevochten, Joep. Daarom ben ik apetrots op je. Jij bent vanaf nu de zwaarddrager.' Plechtig overhandigt Kikantaro zijn zwaard aan Joep. 'Jij bent gereed voor het gevecht met de blauwe tijger.'
Joep laat het zwaard vallen alsof het hem brandblaren in zijn handpalmen bezorgt en stopt zijn vingers in zijn oren. Geen woord wil hij horen over een tijger, of die nou knalgeel, pimpelpaars of appelgroen is.
'Ik heb honger,' zegt hij.
Kikantaro geeft hem een uitgedroogde homp brood en Joep schraapt met zijn tanden de kruimels eraf en verlangt naar huis. Naar mama en papa en zijn schoolvrienden, weg van worstelaars, moerassen en duisternis.
'We moeten terug het bos in,' kondigt Kikantaro aan, 'want dit moeras kunnen we niet oversteken.'
Joep wordt overweldigd door vermoeidheid en moedeloosheid en laat zich op de grond vallen.

‘Nee, dat wil ik niet.’
‘Het zal moeten, Joep, we kunnen hier niet blijven.’
‘Til me dan, alsjeblieft Kikantaro, mijn benen doen zo zeer.’
Kikantaro hurkt bij hem neer en legt zijn handen op Joeps schouders.
‘Ik weet het, jongen, maar niemand kan je naar de blauwe tijger dragen. Dat dier moet je op eigen kracht bereiken. De tocht door het bos is niet meer lang, we redden het gemakkelijk voor het donker wordt.’
Kikantaro’s ogen dwalen af naar de verte en langzaam ziet Joep zijn gezicht verstrakken. ‘Maar wat daarna komt ...’

22. Bloemkolen

Na een haastige tocht door het bos komen Joep en Kikantaro op een open stuk land met rotsblokken. Kikantaro spreidt zijn mantel uit op een beschutte plek tussen grote stenen en zegt: 'Ga maar liggen, Joep.'
'Nu? Op klaarlichte dag?' Met ogen die branden van vermoeidheid dwaalt Joeps blik over het weinig uitnodigende landschap dat begrensd wordt door een loodrechte rotswand met dreigende bergen daarachter.
'Hier zijn we redelijk veilig,' verklaart Kikantaro. 'Bovendien is het je laatste kans om nieuwe krachten te verzamelen voor wat komen gaat.'
Joep haalt gelaten zijn schouders op, door vermoeidheid kan het hem niks meer schelen. Hij laat zich op de harde grond ploffen en voelt zijn oogleden dichtzakken.
'Let jij op, Kikantaro?' mompelt hij.
'Ja, jongen, ik houd de wacht.' Joep voelt Kikantaro's hand over zijn haren strijken en hij slaapt al.

'Wakker worden, we moeten vertrekken!'
Joep wordt door elkaar geschud en hoort een bekende stem, maar kan hem niet plaatsen.
'Kom, jongen, opstaan, we moeten verder!'
Weer dat stemgeluid en dat irritante schudden.

'Laat me liggen,' kreunt Joep en hij valt weer in slaap.
'Wakker worden, je hebt urenlang geslapen!'
Joep wordt opgetild en overeind gezet, water plenst in zijn gezicht en iemand begint hem vooruit te trekken.
Eindelijk lukt het Joep om zijn ogen te openen en verdwaasd kijkt hij naar rookpluimen en vuurmonden die overal uit de bodem opstijgen.
'Opschieten, we hebben nauwelijks tijd om de kloof ongedeerd te bereiken.'
'Kloof?' herhaalt Joep mechanisch.
'De enige toegangspoort naar het land van de blauwe tijger.'
Joeps slaapdronken hoofd begrijpt niets van wat er gebeurt of door Kikantaro wordt verteld.
De bodem trilt en schokt onder zijn blote voeten, onderaards gerommel dreunt in zijn oren. Met een oorverdovende krak splijt de aardkorst open en een scheur trekt zigzaggend voor hen langs.
'Springen!' schreeuwt Kikantaro en hij trekt zo hard aan Joeps arm dat hij van de pijn meteen klaarwakker is. Tegelijk met Kikantaro zet hij af en springt hij over een onwaarschijnlijke diepte heen.
De aarde schudt woedend en spuugt stenen uit zo groot als bloemkolen. Hongerige tongen gloeiend gesteente kruipen als reuzenslangen over de grond.
'Rennen!' schreeuwt Kikantaro.
Lichtvoetig als een balletdanser omzeilt Joep steen na steen, maar Kikantaro is logger en trager en veelal te laat met wegduiken.

‘Au!’ schreeuwt hij, als een steen zijn voet raakt, en ‘au!’, als een volgende zijn borst schampt. Tussen stinkende rookpluimen en spuitende waterfonteinen door vluchten ze verder.
‘Daar, die smalle kloof in!’ wijst Kikantaro. Een pompoengrote steen komt aansuizen en Joep wordt ondersteboven geduwd door Kikantaro die de steen met zijn bovenlijf en armen opvangt.
‘Oef!’ kreunt de worstelaar als de steen zijn buikwand indrukt. Hij wankelt, maar herstelt zich en slingert de steen weg. Met moeite wringt hij zich achter Joep aan de smalle gleuf in tussen twee hoge rotswanden.
‘Gaat het?’ vraagt Joep als Kikantaro zich zijwaarts tussen de wanden door perst, zijn buik schurend langs het gesteente.
‘Vlug, jongen, pak mijn hand en trekken, we hebben niet veel tijd totdat het water komt.’

23. Wasmachine

Na enkele meters wordt de kloof breder en de gloed van de rood verlichte hemel valt tussen de rotswanden door en geeft kleur aan de mulle zandbodem.
'Niet treuzelen!' klinkt Kikantaro's stem gejaagd als Joep stilhoudt en omhoogkijkt. Op een sukkeldrafje haast Joep zich verder met op zijn lippen een brandende vraag.
'Kikantaro?' vraagt hij nieuwsgierig. 'Waarom liet je me uitrusten toen de grond rustig was? Waarom liepen we niet meteen naar deze kloof? Dat was minder gevaarlijk geweest. Nu ben je bezaaid met blauwe plekken.'
'En een paar gekneusde ribben,' bromt Kikantaro. 'Maar er zijn ergere dingen. Dat ga je straks wel meemaken.'
Joeps darmen trekken pijnlijk samen in een angstige kramp.
'Ik vroeg je iets!' zegt hij boos.
'Oké, Joepie, rustig maar. Je mocht slapen omdat we op dat moment niet verder konden. De grond splijt hier regelmatig open en gaat daarna weer dicht, maar nooit helemaal. Er blijven kieren en gaten bestaan, maar die zie je niet omdat er takjes, grassprieten en aarde overheen schuiven en dan worden het valkuilen, begrijp je dat, Joep? De bodem bestaat uit een dun laagje waar magere Joepie

overheen trippelt, maar vetzak Kikantaro dwars doorheen zakt. Dan val ik honderden meters diep en ben voor altijd in de aardkorst verdwenen, zoals veel dieren overkomen is.'
'Pff, dan had ik daar in mijn eentje gestaan!'
'Precies. En daarom wacht ik liever op een nieuwe aardbeving zodat de gaten tevoorschijn komen. En nu als de donder doorlopen,' spoort Kikantaro aan. 'Ik hoor het water komen.'
Ook Joeps oren vangen gorgelende en kolkende geluiden op alsof water een badkamerputje in stroomt. Een plotselinge windvlaag trekt door de kloof.
'Hollen!' schreeuwt Kikantaro.
Al gauw worden ze ingehaald door een waterstroompje. Het spettert op bij iedere stap en staat tot aan Joeps enkels, nee, zijn kuiten. Het rennen gaat almaar zwaarder, zijn benen krijgt hij nog maar moeizaam vooruit, het water klotst om hem heen.
'Pas op!' schreeuwt Kikantaro en hij slaat voorover en sleurt Joep mee in zijn val. Het water grijpt Joep beet en smijt hem rond alsof hij in een wasmachine zit. Boven en onder en onder en boven wisselen elkaar in een doorlopende klotsende beweging af.
Lucht! snakt Joep, zuurstof! Hij heeft het gruwelijk benauwd, gaat stikken, maar plotseling grijpt een hand zijn broekje beet en met een zwiep belandt hij op Kikantaro's buik die als een ijsberg boven water uitsteekt.
'Hou je vast!' waarschuwt Kikantaro. Met zijn voeten vooruitgestoken en stijf als een boomstam

drijft hij mee op de wild kolkende stroom. Joep zit als een prins op zijn borst en klampt zich vast aan Kikantaro's vetrollen alsof het handgrepen zijn.
De stroom versnelt, de golven worden hoger, opspattend water slaat schuimend in Joeps gezicht totdat ze aan het einde van de kloof naar buiten drijven en als badeendjes ronddobberen in het warme zonlicht.
Verrukkelijk, geniet Joep en hij voelt zijn spieren ontspannen.
'Snel, eruit!' proest Kikantaro en hij sleurt Joep mee tussen de waterlelies door en duwt hem op de oever.
Betoverende geuren dringen Joeps neusgaten binnen, hij hoort vogeltjes kwetteren en overal bloeien weelderige bloemen en fladderen vlinders in prachtige kleuren.
'Het lijkt wel het paradijs,' fluistert hij.
'Niks paradijs,' antwoordt Kikantaro verbeten, 'pak je zwaard. Dit is het thuisland van de blauwe tijger.'

24. Fonkelende tijgerogen

'Wat is het hier fantastisch,' fluistert Joep en met glanzende ogen bewondert hij de strakblauwe lucht en de besneeuwde berghellingen die baden in schitterend zonlicht. Het mos streelt fluweelzacht zijn voetzolen en nooit eerder voelde hij zich zo gelukkig.
'Houd je hoofd erbij, Joep!' waarschuwt Kikantaro die voor hem uit tussen bloeiende vlinderstruiken door loopt. 'Dit is een schijnwereld, niet in geloven!'
'Maar ik zie het toch!' protesteert Joep en om zichzelf te overtuigen voelt hij aan een bloemblaadje.
Kikantaro draait een kwartslag, grijpt zijn bovenarm vast en fluistert nijdig: 'Scherp blijven! Knijp je neusgaten dicht en laat je niet bedwelmen. De schuilplaats van de blauwe tijger is dichtbij.'
'Eindelijk,' zucht Joep dromerig.
Kikantaro drukt eigenhandig Joeps neus dicht.
'Jongen luister, jij lokt dat beest uit zijn stinkende hol en treitert hem net zolang totdat hij je aanvalt. Vervolgens spring je opzij en hak je tegelijkertijd een nagel af, begrijp je dat, Joep?'
De zoete geur is uit Joeps neus verdwenen en met opengesperde ogen en benen zo slap als gekookte spaghetti schreeuwt hij: 'Dikke doei! Ik ben niet kierewiet!'

'Stil, je doet het voor je ouders, vergeet dat niet.'
Joep denkt aan zijn moeder bij wie hij alleen als overwinnaar mag terugkomen en kan wel janken.
'En als ik te laat wegspring of ik sla mis?' fluistert hij met knikkende knieën.
'Dat gebeurt niet.'
'Of ik verwond zijn tijgerpoot en hij komt woedend op mij af?'
'Dan help ik je,' belooft Kikantaro. 'Nu stevig je zwaard vasthouden en zelf je neus dichtknijpen.'
Help! denkt Joep. Ik, het bangste jongetje van de klas, moet met dichtgeknepen neus strijden tegen een levensgevaarlijke tijger. Dat gelooft niemand!
Kikantaro wijst naar een steile rotswand.
'Zie je daarboven die grot? Daar zit-ie.'
'En als dat beest me aan honderdduizend stukken scheurt,' jammert Joep, 'is mama dan gelukkig?'
Kikantaro duwt de tegenstribbelende Joep een open plek op.
'Zijn aandacht trekken!' commandeert Kikantaro vastbesloten. 'Springen en zwaaien met het zwaard!'
Waarom mama, waarom? Stijf van angst tuurt Joep omhoog naar de donkere grot en hij ziet twee ogen fonkelen. Hij wil zich omdraaien en wegrennen, maar achter hem wacht Kikantaro met gekruiste armen en dreigende blik, en de worstelaar zal hem ongetwijfeld terugduwen.
'Sta daar niet als een plastic speelgoedsoldaatje! Bestrijd je angsten, net als in de duisternis, en heb zelfvertrouwen, want je kunt het!' moedigt Kikantaro hem aan.

Joeps hart klopt in zijn keel als hij uiterst behoedzaam met de tenen van zijn linkervoet de grond aantikt en ze razendsnel weer terugtrekt.
Als gestoken schiet de blauwe tijger uit zijn grot en Joep schrikt zo vreselijk dat hij zijn neus loslaat. Doodsbang kijkt hij op naar de tijger die groot en zelfverzekerd op een richeltje heen en weer paradeert. Hij zet zijn poten beheerst neer als een balletdanser, zijn diepblauwe vacht glanst betoverend over zijn aangespannen spieren. Langzaam voelt Joep de angst uit zijn lichaam wegtrekken en ademloos staart hij naar het machtige dier.
'Neus dicht!' commandeert Kikantaro. 'Opschieten, binnen enkele seconden valt hij aan!'

25. Een Russische militair

Op hetzelfde moment dat de tijger naar beneden springt, knijpt Joep zijn neus dicht. Het zwaard trilt in zijn hand, zijn angstige ogen volgen de tijger die hem razendsnel nadert met sprongen soepeler dan hij ooit bij een dansvoorstelling heeft gezien.
Wat een lichaamsbeheersing! denkt Joep met een mengeling van vrees en afgunst. Dat tijgerlijf is volledig in balans, geen spier te veel aangespannen, van zo'n machtig beest kan ik toch niet winnen!
'Zwaaien met dat zwaard!' schreeuwt Kikantaro vanuit een dennenboom. 'Niet laten merken dat je bang bent!'
'Maar dat ben ik wel,' jammert Joep en wanhopig tilt hij het zwaard boven zijn schouders.
'Meer bewegen, Joep, imponeren, laten zien dat jij de baas bent!'
'Ik hem de baas?' gilt Joep met overslaande stem. 'Eén haal van zijn teennagels en ik lig helemaal open.' Zijn gespannen lichaam schokt onbeheerst en stram als een Russische militair schiet zijn rechterbeen tot heuphoogte naar voren.
'Doorgaan!' schreeuwt Kikantaro. 'Dat beest strak aankijken en kaarsrecht op hem af lopen!'
Mij niet gezien, denkt Joep en hij zwaait zijn rechterbeen onder zich door naar achteren en maakt een zweefstand, stijver dan een strijkplank.

De fonkelende tijgerogen kijken hem oplettend aan, maar het roofdier komt geen stap dichterbij.
'Joep, sta daar niet als een halvegare! Dat beest gaat springen en aanvallen!'
Joep weet niets te verzinnen en springt ten einde raad hoog op en slaat als een trekpop zijn benen en armen zijwaarts uit. Ongemerkt en ongewild heeft hij zijn neus losgelaten.
De blauwe tijger zakt door zijn achterpoten en kantelt zijn kop aandachtig opzij.
Wat krijgen we nou? denkt Joep terwijl hij inademt door zijn neus. Het lijkt wel of dat beest mijn bewegingen bestudeert. Zou hij het interessant vinden? Bij iedere ademhaling raakt Joeps geest meer bedwelmd door een overheerlijke bloemengeur en vermindert de spanning in zijn lichaam. Voorzichtig draait hij een pirouette, en dan nog een en nog een, sneller en sneller.
'Het is geen dansvoorstelling!' schreeuwt Kikantaro nerveus. 'Hak die teennagel van die tijgerpoot en kom hier naartoe!'
Joep komt tot stilstand en ziet dat de tijger dichterbij is gekomen. Vragend kijkt hij om naar Kikantaro die van verbijstering op zijn vuist bijt.
'De tijger heeft bewondering voor mijn danspassen,' zegt hij verbaasd.
'Hallo, wakker worden Joep, en dichtknijpen die neus. Dat beest is levensgevaarlijk!'
De tijger begint in een grote cirkel rond te lopen, en Joep loopt op dezelfde afstand mee. Iedere beweging van de tijger slaat hij ademloos gade: het

sierlijke heffen van zijn poten, het trotse dragen van zijn kop, het soepele plooien van zijn vacht. Een intense warmte vult Joeps hart en het staat vast dat hij nooit, van zijn levensdagen niet, ook maar iets van dit keizerlijke dier zal afhakken.
Hij werpt het zwaard van zich af, voelt zich direct vederlicht en begint met gesloten ogen te dansen.
'Ben je krankjorum geworden!' schreeuwt Kikantaro en aan zijn stemgeluid hoort Joep dat de worstelaar het in zijn *mawashi* doet van angst. 'Alsjeblieft, jongen, verdedig je!'
'We vertrouwen elkaar,' lacht Joep dronken van geluk en zijn glanzende ogen zoeken contact met de tijger die in almaar kleinere rondjes om hem heen cirkelt. Nog slechts twee meter verwijderd, anderhalve ...

26. Een smakelijk snackje

De blauwe tijger is nu zo dichtbij dat Joep hem zou kunnen aanraken en toch is hij niet bang. Joeps bewegingen worden rustiger, zijn ademhaling trager en langzaam zakt hij door zijn knieën.
'Ik weet nu honderd procent zeker wat ik wil,' fluistert hij tegen de tijger die op minder dan een armlengte afstand voor hem staat. 'Ik wil dansen en bewegen, zo sierlijk als jij. Maar dat mag jammer genoeg niet van mijn moeder.'
Joep zucht diep ongelukkig en alle energie vloeit uit hem weg. 'Vreet me maar op, tijger, want zonder dansen kan ik niet gelukkig zijn.'
Zijn ogen vullen zich met tranen. De tijger komt tergend langzaam dichterbij, nog vijfentwintig centimeter, nog vijftien. Joep voelt de warme adem van het roofdier op zijn gezicht, de tijgersnorharen prikken in zijn bovenlip.
'Dankjewel, tijger,' fluistert Joep, 'ik heb van je genoten, en jij hopelijk ook van mij, ook al was het misschien maar een droom. Doe me nu een groot plezier en hap toe, want mama zal nooit van me houden zoals ik ben.'
'Hou vol, jongen, ik kom eraan,' hoort Joep Kikantaro vanuit een andere wereld schreeuwen. Maar in de wereld waarin hij zich bevindt, likt een tijgertong de tranen van zijn wangen.

Met veel gekraak laat Kikantaro zich uit de dennenboom vallen en wild zwaaiend met een afgebroken dennentak komt hij aanrennen.
De tijger kijkt Joep nog een laatste keer aan, draait zich vervolgens om en is met een achttal reuzensprongen terug bij zijn grot.
'Gelukkig, je leeft nog!' Kikantaro laat zich naast Joep neervallen en wil hem omhelzen, maar Joep weert hem af om de blauwe tijger na te kijken totdat ook zijn staartpuntje in de donkere grot is verdwenen.
'O, Kikantaro, wat heb ik genoten,' fluistert Joep. 'Dankjewel dat je me hierheen hebt gebracht.'
'Maar was je niet doodsbang?' stamelt Kikantaro.
'Bang voor zo'n prachtig dier? Geen seconde!'
'Waarom vrat hij je niet op? Je bent wel een beetje mager, maar toch een smakelijk snackje voor een hongerig roofdier.'
'Misschien vond hij het zonde?'
Kikantaro kijkt Joep onderzoekend aan en langzaam verandert de uitdrukking op zijn gezicht. Bezorgdheid verandert in een brede glimlach en al gauw barst Kikantaro uit in een bevrijdende lach. Trots kust hij Joep op beide wangen.
'Die blauwe tijger heeft groot gelijk: jij bent een fantastische jongen en helemaal niet geschikt als maaltijd! Jij bent een superheld, Joep, en voor het allergevaarlijkste dier niet bang. Vertel eens, hoe is dat mogelijk?' Kikantaro tilt Joep op zijn schouders en vanuit die hoge positie werpt Joep een verlangende blik op de grot.

‘We vertrouwden elkaar.’
‘Onwaarschijnlijk, jullie hadden elkaar toch nooit eerder ontmoet?’
‘Toch voelde het alsof we dezelfde taal spraken. We herkenden de schoonheid in elkaars bewegingen en daar werden we allebei supergelukkig van.’
‘Dus dansen is jouw geheim! Ik had het kunnen weten toen jij Suzisuki tureluurs maakte met je gedraai en ze kotsmisselijk afdroop naar de kleedkamers. Maar dat je met danspassen zelfs het allergevaarlijkste roofdier kunt bedwelmen, dat wist ik niet. Je moet het mij ook leren, Joep, dan versla ik huppelend en trippelend de sterkste tegenstanders. Maar eerst mag jij uitrusten. Jij hoeft geen stap meer te verzetten, want Kikantaro en zijn zwaard brengen jou veilig terug naar de worstelschool.’

27. Krap zittende balletpakjes

‘Het is zover,’ zegt Kikantaro enkele weken later in de kleedkamer van de stadsschouwburg. ‘Je ouders zitten middenin op de allereerste rij. Ben je er klaar voor?’

‘Nee,’ zegt Joep kleintjes en via de spiegel boven de schminktafel werpt hij een blik op het clubje worstelaars in krap zittende balletpakjes. ‘Pap en mam zullen vreselijk teleurgesteld zijn.’

‘Weet je nog hoe bang je was voor de blauwe tijger en het liefst wilde vluchten?’ Kikantaro kijkt Joep even doordringend aan en concentreert zich vervolgens weer op het aantrekken van een roze balletpanty die maar moeizaam over zijn gevulde worstelbenen omhoog wil.

Joep glimlacht zwakjes bij de herinnering.

‘Doodsbang.’

‘Onnodig, bleek achteraf. Dus kom, mijn grote voorbeeld en superheld, we gaan er een prachtshow van maken en je ouders overwinnen!’

Een bel rinkelt in het artiestenvertrek en een siddering trekt door de groep.

‘Ruggen recht, mannen, en tenen gespitst!’ geeft Kikantaro als laatste aanwijzing. Snel begeven Joep en de worstelaars zich via een toneeltrap naar de donkere ruimte achter het toneel.

Voor de laatste maal worden de opgekropen bal-

letpakjes strak getrokken over de uitpuilende buiken, de handen ineengevouwen en vingerkootjes geknakt.
'Hakkeyoi!' fluistert Kikantaro als het toneeldoek openschuift en als op commando zwermen de eerste worstelaars, trippelend op hun balletschoenen, uit over het toneel.
Samen met Kikantaro gluurt Joep naar zijn ouders en hij ziet hun monden van verbazing openvallen als de worstelaars sierlijke sprongetjes proberen te maken in hun megatutuutjes. Zijn darmen trekken samen en hij kermt: 'Ze vinden het duizendmaal niks!'
'Doorzetten, jongen, laat je niet afleiden! Hakkeyoi, nu jij!'
De vioolmuziek zwelt aan en met een laatste bemoedigende aai over zijn bol springt Joep in zijn *mawashi* vanuit de coulissen het toneel op. Hij heft zijn hoofd fier als de tijger en laat zich leiden door de opzwepende vioolmuziek die vanuit de orkestbak klinkt. Het voelt alsof de violisten hem omarmen en liefdevol wiegen, waardoor de spanning wegvloeit uit zijn lichaam. De dirigent kijkt in zijn richting en met zijn stok lijkt hij hem op te tillen, zodat zijn sprongen hoger en krachtiger worden dan ooit. Het beeld van de blauwe tijger verschijnt in Joeps gedachten, de beheerste bewegingen van het dier kruipen onder zijn huid en Joep danst zoals hij nooit eerder heeft gedaan. Zijn zelfverzekerdheid groeit, zijn uitstraling wint aan kracht en alles aan hem zegt: kijk, mama, dit is wat ik wil!

……

Voortgestuwd door de muziek danst Joep tot de allerlaatste noten en als die uiteindelijk wegsterven, blijft hij in een uitgeputte, diepe buiging midden op het podium staan. De moed ontbreekt hem om overeind te komen en zijn ouders aan te kijken. Het is doodstil in de zaal als Kikantaro op hem af loopt en pas als hij Joep overeind helpt en hem hoog boven zijn hoofd optilt, barst een oorverdovend applaus los. Het publiek komt overeind en iedereen klapt, iedereen, behalve pap en mam. Roerloos zitten ze op de eerste rij met hun lippen stijf op elkaar en hun ogen in verbijstering op Joep gericht.

28. Voetbalschoenen

Als Joep ziet dat zijn moeder beschaamd haar ogen neerslaat, voelt hij zijn laatste krachten wegvloeien en wendt hij zijn hoofd af.
Sorry, pap en mam, zou hij willen roepen, sorry, ik kan gewoon niet anders.
Hij sluit zich af voor het daverende applaus en trekt zich diep terug in zijn schulp.
Het is zinloos om door een hele zaal bejubeld te worden, denkt hij, als de allerbelangrijkste personen in je leven zich voor je schamen.
Joep heeft niet door dat zijn ouders omkijken naar de klappende mensen achter zich en hoe de spanning langzaam van hun gezichten glijdt. Hij ziet niet hoe ze overeind komen en met geheven handen voor hem applaudisseren.
Wel voelt hij dat Kikantaro hem op de grond zet en meetrekt in een serie buigingen voor het applaudisserende publiek, maar dat interesseert hem helemaal niks. Ook voelt hij dat Kikantaro's vlezige hand hem loslaat en een ranke hand met slanke vingers hem vastpakt. Aan zijn linkerhand bespeurt hij opeens een hand met een ring en het applaus zwelt voor de zoveelste keer aan.
'O, lieverd van me,' klinkt moeders stem bij zijn oor, 'wat kun jij ongelooflijk goed dansen. Open je ogen en kijk hoe blij iedereen is.'

Langzaam tilt Joep zijn hoofd omhoog en hij ziet zijn moeder stralend van trots naast hem staan en als de koningin zwaaien naar het publiek. Zijn vader schuifelt onwennig aan zijn andere zijde en geeft doorlopend kneepjes in zijn hand.
Een intens geluksgevoel doorstroomt Joep. Eindelijk, denkt hij, eindelijk begrijpen ze me.
'Vond je het echt mooi, mama?' vraagt Joep als het toneeldoek na een laatste buiging dichtvalt.
'Prachtig, jongen.'
'Dus voortaan mag ik dansen zo veel als ik wil?'
'Vanzelfsprekend, lieve knul. Maar,' zegt ze na enig aarzelen, 'voetballen is ook heel leuk, en met jouw talent en inzet moet je prof kunnen worden.'
Even voelt Joep de paniek opwellen en zijn ogen zoeken die van Kikantaro.
'Hakkeyoi!' doen de lippen van de worstelaar en hij knipoogt ondeugend.
'Vind je voetbal echt zo veel leuker, mama?' vraagt Joep en zijn moeder knikt vurig.
'Dan gaan we toch voor jou een paar voetbalschoenen kopen en kom ik je wel aanmoedigen!'

Hoi,

Nog even een laatste nieuwtje. Wat denken jullie? Mijn moeder heeft me opgegeven voor het programma 'So you think you can dance'. 'Dan ben je de jongste deelnemer ooit,' zei ze, 'en dan ga je zeker winnen.' Alleen al bij het idee straalde ze van trots.

Volgens mij wordt het niks. Ik zal wel niet eens toegelaten worden, maar dat kan me niet schelen. Veel belangrijker is dat ik nu naar dansles mag en mijn moeder me de hele tijd aanspoort om te oefenen. Wie had dat ooit gedacht?
Kikantaro en de andere worstelaars vonden het dansen toch te vermoeiend en hebben hun tutuutjes voorgoed in de kast gehangen.

Maar Suzisuki vindt het wel superleuk. Ze heeft les bij dezelfde dansleraar als ik en door al dat bewegen is ze zelfs slank geworden! Soms roepen we voor de lol nog wel eens 'Hakkeyoi!' en valt zij op haar buik en spring ik in de lucht. Echt lachen is dat.

Zo zie je maar, wat ze ook zeggen, je moet gewoon blijven doen wat je leuk vindt!

Doei, Joep

Naam: Els Rooijers

Leeftijd: 56.

Ik woon in: Katwijk aan Zee.

Dit doe ik het liefst: buiten rondwandelen en verhalen verzinnen.

Ik hou helemaal niet van: lang stilzitten.

Het leukste boek vind ik: *Big Baps* en alle boeken van Pareltje, maar ook het boek dat ik volgende week ga schrijven.

Zo kwam ik op het idee om *Joep en de blauwe tijger* te gaan schrijven: Ik zag een foto in de krant van een superdikke sumoworstelaar die voor de grap met een jochie aan het worstelen was. Vooral de magere jongensbenen die uit de veel te ruime *mawashi* staken, gaven me inspiratie voor dit verhaal.

Ik wil heel graag nog een keer een verhaal schrijven over: een jongen die heel goed kan surfen, maar achternagezeten wordt door een haai.

Mijn grootste wens is: om weer eens een paar jaar in Zwitserland te wonen en in de prachtige bergen te wandelen en tegelijkertijd verhalen te verzinnen. En als er dan sneeuw ligt, wil ik in een knus huisje alles opschrijven.

Meer lezen van Els Rooijers?

Pareltje en de rapwedstrijd
Pareltje heeft erge geldnood. Daarom stuurt ze een mailtje:
Ali B,
Ik, Pareltje, ben negen jaar en kan veel beter rappen dan jij. Geloof je me niet? Dan daag ik je uit voor een wedstrijd. Drie liedjes ieder. Wie wint krijgt duizendmiljoen. Durf je het aan of ben je een schijtkippie? De hartelijke balle, Pareltje
Wat zal Ali B antwoorden?
En gaat hij de uitdaging aan?

Eerder verschenen:

Rare zomer
Maria van Eeden

Wat is Martje boos!
In plaats van lekker met haar ouders op vakantie te gaan, zijn ze verhuisd. Naar een heel saaie buurt nog wel!
Daar blijven ze misschien wel een jaar wonen, want hun eigen straat moet opgeknapt worden.
En dan doet ze ook nog iets stoms: ze vernielt een vaas in de tuin van de buren.
Martje durft niet te vertellen wat ze gedaan heeft, maar ze gaat zich er steeds schuldiger over voelen ...

In deze serie zijn verschenen:

Els Rooijers
Joep en de blauwe tijger
zwijsen
extra

Anke Kranendonk
Ik ga weg
zwijsen
extra

Annemarie van den Brink
Krinkel
zwijsen
extra

Ruben Prins
Wie heeft Panter ontvoerd?
zwijsen
extra